自由律俳句と詩人の俳句

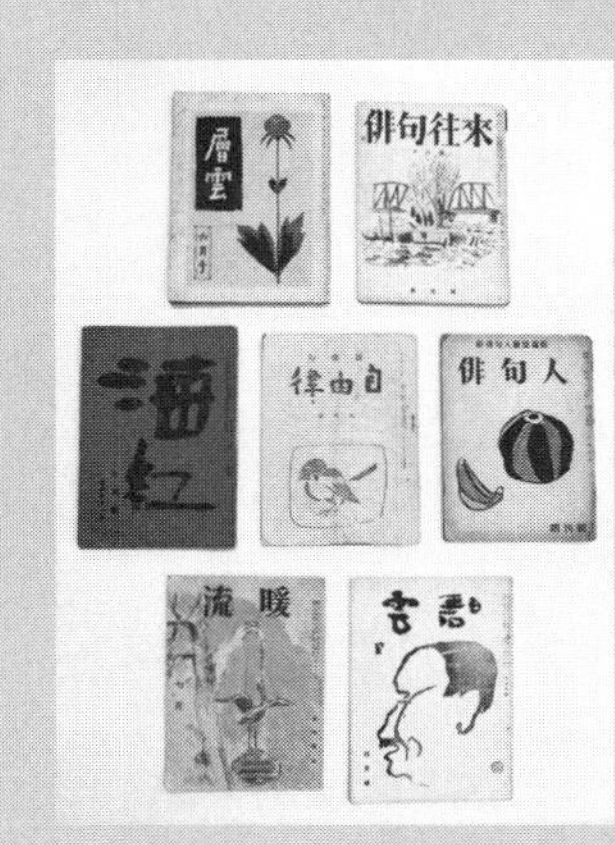

樽見博
Tarumi Hiroshi

文学通信

目次

序にかえて　時代の生む魅力――中塚一碧楼の自由律句……9
俳句史における自由律／「俳句とは何か」と問い続ける

第一章　自由律俳句について

1 総合誌『俳句人』と敗戦に直面した自由律俳人たち……17
俳句全集から除外された自由律俳句／『俳句人』のなかの自由律俳句
『俳句人』第一巻より／松尾敦之「原子ばくだんの跡」

2 松尾敦之『原爆句抄』など……29
「とんぼう、子を焼く木をひろうてくる」／戦時中の松尾の句／松尾の戦後／『俳句人』第二巻より

3『自由律』の創刊と生活の自然詩……41

俳句雑誌の統合と分裂／『自由律』創刊号「第一輯」から／戦時から日常へ

4
荻原井泉水の戦後の出発（上）……53
勝算の無いことは解りきつてゐた／レジスタンスの精神／『千里行』と『一不二』より

5
荻原井泉水の戦後の出発（下）……65
激動の時代でもゆるぎなく／時代への柔軟性／『層雲』復刊号より／『層雲』復刊後の内紛

6
合同戦争俳句集『みいくさ集』が描いた銃後……77
自由律戦争俳句集／『みいくさ集』の銃後俳句

7
改造社『俳句研究』における自由律俳句……87
俳句総合誌『俳句研究』と俳壇ジャーナリズムの誕生／秋桜子による自由律批判
『俳句研究』第一巻より

8
昭和13年の『改造』『俳句研究』俳句欄……99
俳句欄常設という画期／『俳句研究』昭和13年の自由律作品

9 終戦直後の『暖流』と自由律俳句の理念……109
『暖流』の復刊／論客が集う雑誌

10 荻原井泉水が継承した芭蕉の精神（上）……117
正統性の根拠としての芭蕉俳諧／井泉水と楸邨の芭蕉俳句評釈

11 荻原井泉水が継承した芭蕉の精神（下）……125
それぞれの芭蕉観／「俳句の本質は自由律」

12 萩原蘿月と内田南艸、まつもと・かずや……133
感動律と口語俳句／蘿月の個性／南艸『光と影』より／まつもと・かずやの口語俳句

第二章　自由律俳句の諸相

1 中塚一碧楼の句評と俳句……147
句評から俳句観を追う／季節感横溢の俳風

2 荻原井泉水の句評――草田男・虚子との違い……167
井泉水の句評／草田男と虚子の句評

3 尾崎放哉と種田山頭火の短律句……177
『大空』と『草木塔』より／比較すると見えてくる両者の本質／井泉水の放哉への強い思い

4 橋本夢道の長律句……193
二十～三十代の句／自由律からプロレタリア俳句へ／『俳句生活』の創刊

5 改造社『俳句三代集』別巻「自由律俳句集」……207
別巻扱いされた自由律／参加を辞退した俳人たち

6 『層雲』が生んだ早逝の俳人・大橋裸木について……215
「骨を削り肌に刺す」制作ぶり／短律時代／荻原井泉水の二行句

7 三重県で生まれた自由律俳句誌『碧雲』……229
ルビ付き俳句を批判／田園のモダニズム

第三章　詩人の俳句

1 **英文学者詩人・佐藤清の俳句**……241
「詩は言葉の音楽的表現である」／佐藤清の俳句

2 **国民詩人・北原白秋と自由律俳句**……249
白秋の俳句／前田夕暮『白秋追想』／前田夕暮の俳句

3 **鷲巣繁男――流謫の詩**……257
通信兵から開拓農民へ／「内部震撼なくして真の韻律は生じない」

4 **木下夕爾――孤独に堪える**……271
孤独に堪え抜いた詩人／閉ざされた夢／友人・村上菊一郎の俳句

5 **千家元麿の一行詩と俳句**……285
徹底して平明で純な詩／「寂」感充溢の世界

6 北園克衛――モダニズム詩人たちの俳句……299
北園克衛と『鹿火屋』／『風流陣』の俳句

7 日夏耿之介――社交の俳句……313
濃厚な詩語／日夏耿之介の俳句

8 ゆりはじめ――横浜大空襲を問い続ける疎開派……323
疎開と空襲／『キャッツアイ』と成田猫眼

付録・荻原井泉水著書目録抄……333
句集／井泉水句集年刊パンフレット／合同句集／全集／俳論・俳句入門書
芭蕉・一茶・子規関係／尾崎放哉・種田山頭火関係／随筆集その他

あとがき……348

序にかえて　時代の生む魅力――中塚一碧楼の自由律句

俳句史における自由律

二〇一四年二月に『戦争俳句と俳人たち』（トランスビュー）を刊行したが、自由律の俳人については、ごく一部を除いて詳しく触れることができなかったなという思いが残った。革新を本分とする自由律俳句にとって、昭和維新とか大東亜共栄圏構想など、ある意味での「革新」がどのように作用したか興味のあるところであった。

自由律俳句といっても多くの人々はピンと来ないか、尾崎放哉(おざきほうさい)や種田山頭火(たねださんとうか)の非常に短い俳句のことですね、といった程度の認識だろう。現在俳句そのものは、ＴＢＳの人気番組「プレバト」などで、その面白さや難しさが広く知られるようになったが、それは五七五の定型、季語と切れ字の効用、取り合わせの妙を原則とする伝統的俳句である。もちろん破調の魅力も語られることもあるが、まず自由律俳句が問題になることはない。そこで「咳をしてもひとり」（放哉）とか「鉄鉢のなかにも霰」（山頭火）といったような句を提出しても評価されないだろう。

専門的な俳句史でも、自由律俳句は除外されるか別扱いされるのが普通である。現在も、自由律俳句結社「青穂(せいほ)」主催の尾崎放哉賞（一般と高校生を対象）が設けられ、普及活動をしているが、実際に自由律俳句を作る俳人は俳句人口に比して少なく、まして、その将来性、文学としての可能性が論じられることは殆どない。

前記拙著を執筆していた折に読んだ、太平洋戦争勃発に際しての飯田蛇笏の評論の中で、中塚一碧楼の作品がとり上げられていた。

とつとう鳥とつとうなく青くて低い山青くて高い山

伝統俳句の側から否定的に捉えられた作品なのだが、私自身はすごく惹かれるものを感じた。何の鳥か、「凸騰（とつとう）」ならば、雲雀でもあろうか、高い鳴き声で高く舞い上がりながら鳴いている。言葉の反復は鳴き声の繰り返しを反映し、さらに「青くて低い山青くて高い山」とこれも反復表現すると同時に、目の前に広がる夏の山々を描いている。「とつとう」を「訥々」と取るなら、山鳩のあの独特の繰り返される低い鳴き声かもしれない。リズムが心地よい。ところが、この句は昭和5年、秋田の檜木内での句会の折、「とっとうとっとう」という鳥の鳴声を聞いて地元の人に聞くと「とっとう鳥」と教えられたが、筒鳥を訛って発音したものらしい。偶然が幸いして生まれた句であったのだ。

立風書房の『鑑賞現代俳句全集　第三巻』（一九八〇）には、明治41年から昭和21年に及ぶ一碧楼生涯の作品から五百数十句が収録されている。これを通覧すると「芝生」（昭和3～7）、「杜」（昭和7～10）、「若林」（昭和11～12）に収められた作品が好もしかった。

水母が浮いては浮いては出舟出てゆく
われにかもぬれて花さき薊草
子を生し子を生して棲まふに赤いゆすらうめ
山一つ山二つ三つ夏空
十薬の花が白いなどこのやうな生涯
機関車とそれはすつかり別ものの草にゐるかまきり
どつちへも流れぬどぶなんで辛夷さいた
魚にくるくるのまなこがあり冬の日ひとりの人に買われた
僕が一疋の馬であるやうに冬の日或時の感触
すうたらぴいたら少年ピッコロを吹く春の地しめり

ことに最後の作品「すうたらぴいたら」は中原中也の詩のようである。深い人生洞察とか「わびさび」ではない言葉の面白さやリズムが詩情豊かに踊っている。現在のいわゆる「うまい」俳句や、「難解な」俳句にはない魅力がある。

『中塚一碧楼研究』（尾崎縲子著）、『俳人中塚一碧楼』（森脇正之編）、『中塚一碧楼——俳句と恋に賭けた前半生』（瓜生敏一著）などを一瞥すると、一碧楼の句に西洋詩の影響が顕著なのは「芝生」以前のようで、「芝生」以降は一種東洋的な虚無感が加わるという。

中也の『山羊の歌』（昭和9）、『在りし日の歌』（昭和12）収録作品の生まれた時期は右の一碧楼の作品制作時期と大略重なる。例えば、『山羊の歌』「春の夜」の第一聯は、

燻銀なる窓枠の中になごやかに　一枝の花、桃色の花。

あるいは「黄昏」のやはり第一聯、

渋つた仄暗い池の面で、寄り合つた蓮の葉が揺れる。

文学作品が似ているとか共通するとかは個人的な感懐に過ぎないが、時代の流れというのは詩人の心に共通の影響を与えるものではないかと思う。

大正中期から昭和10年にかけて日本の文化全般で大きな変革が起きていた。間に関東大震災という、日本全体を揺るがす大惨事を挟んでいる。ロシア革命もあったが、震災は、被災した人々には失礼な言い方になるが、日本に一種のカタルシスを齎した。ヨーロッパからモダニズム芸術の潮流が一気に押し寄せ、未熟な市民社会の上に、表面だけのモダニズムの模倣が始まった。模倣から始まったが影響も成果も大きかった。しかし基盤の弱いものは、次の戦争の時代に敢えなく多くが伝統回帰していった。

日本の大正末期から昭和初期の俳句界も同様である。子規の始めた俳句改革から、河東碧梧桐（かわひがしへきごとう）の新傾向俳句が生じ、伝統俳句の中から新興俳句運動が起き、新傾向俳句から自由律俳句が生まれ、自由律俳句からプロレタリア俳句が派生していった。大正から昭和初期の流れである。残ったものはあるのだが、十五年戦争は俳句変革の気運を押し流していった。

「俳句とは何か」と問い続ける

『戦争俳句と俳人たち』を書く中で、時代に抗い弾圧された俳人たちがいる一方で、時代に迎合し、自ら戦意高揚に走った一群の俳人はいたが、それゆえに滅んでも不思議ではなかった俳句形式を、彼等が守ったという一面の功績に気が付いたのである。

俳句という文学は、多くの人々が創作に鑑賞に交互に関わることで成立する文学である。誰もが創作者であり鑑賞者になれ、全国に俳句を楽しむ結社や同人組織があり、各々が俳句雑誌を刊行するというような文化は他の国には存在しない。そういう俳句文化が戦時中存続の危機に見舞われたのである。さらに、終戦後には「第二芸術論」の中で再び俳句の存在価値論が再燃することになる。

もちろん、終戦後、自らの戦時中の言動が人間として、表現者としてどうであったか、頬かむりや忘却することとなく、真摯に反省する必要は不可欠で、それが徹底されなかったことが問題ではあったのである。今後も私は、俳人たちの戦中の言動を発掘、紹介し続けたいと考えているが、大切なのは失敗からの再生であった。ただそれも俳句の伝統が守られてはじめて意味のあることとなる。

同時に伝統と呼ばれる「俳句」という形式はどういうものなんだろう、定型は疑う余地のないものなのか、そちらに私の関心が移っていった。何ゆえに、自由律を選んだ人たちが現れたのか。彼らは伝統派の俳人たちよりもある意味において、定型を意識している。しかし、自由律俳句は戦前終戦直後の一時の隆盛を過ぎると忘れられた存在になっていってしまった。

同人誌『鬣（たてがみ）』に連載していた自由律俳句についての考察が、資料の不足などもあり、12回で壁にぶつかったが、視点を変えて、「自由詩」「現代詩」の詩人たちの中には、俳句を作る詩人がかなりいる。彼らは明治時代の新体詩のように音韻を踏む作品ではなく、自由な発想や表現法で詩を書いている。彼らが書く俳句もまた自由なものなのではないか、と調べ始めると、殆どが極めて定型を遵守した俳句であった。これも『鬣』に「詩人と俳句」として連載した。詩や俳句の理解もおぼつかないのに無謀な試みだが、分かったことは、かれら詩人は意外にも、定型、季語などの制約を遊んでいるようにも見えることであった。

今回の本を書き上げ感ずるのは、俳句における五七五という定型の持つ力である。おそらく自由律俳人たちも、その事は認識していたのである。俳句という文学行為は「俳句とは何か」と問い続けるもので、その正解のない解答を得るために、個々が様々な試行を繰り返す必要がある。その問いへの模索が大正末から昭和十年代初期までと、終戦直後の文芸復興期に燃え上がった。その中に自由律俳人たちもいたのである。俳句に関わる者は、五七五定型、季語、切れ字の効用に凭れかかることなく、考え続けなくてはいけない。自由律俳人たちの懸命な足跡はその意味を教えてくれるのである。

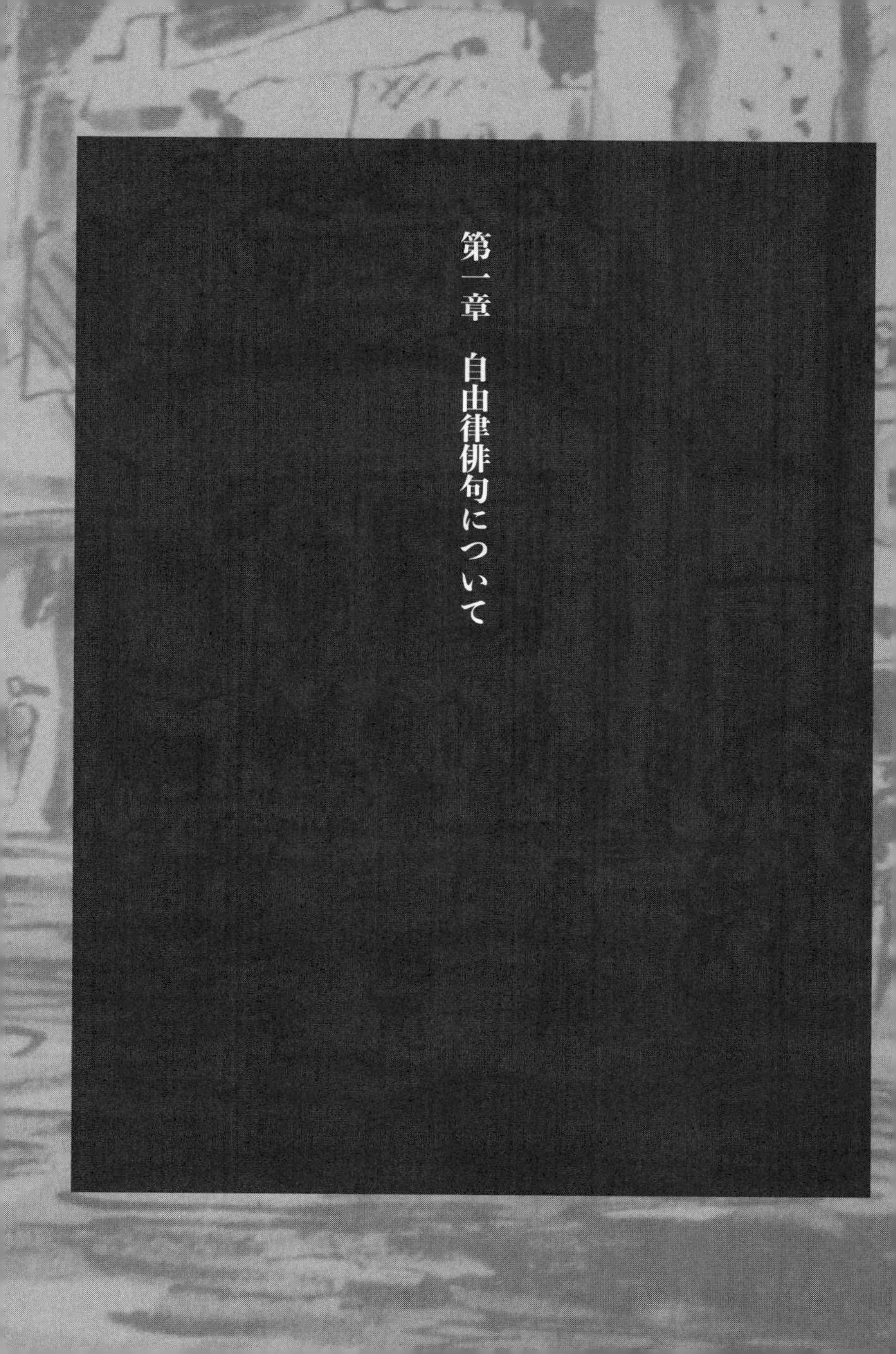

第一章　自由律俳句について

1　総合誌『俳句人』と敗戦に直面した自由律俳人たち

俳句全集から除外された自由律俳句

「序にかえて　中塚一碧楼――時代の生む魅力」でも書いたのだが、戦争俳句史をたどる上で、自由律俳句側からそれを見ることも可能であったなと気が付いた。しかし、自由律俳句にとって試練の時を迎えたのは、むしろ戦後の第二芸術論議以降ではなかったかと思う。先ず敗戦に直面した自由律俳人たちの動向から見て行きたい。

自由律俳句史、自由律作品史は何点か刊行されている。現在手元にあるものを上げると、

『俳句三代集』別巻自由律俳句集　荻原井泉水・中塚一碧楼編　改造社　昭和15年4月
『自由律俳句文学史』新俳句講座第一巻　西垣卍禅寺編　新俳句社　昭和35年5月
『自由律俳句史とところどころ』唐沢隆三著　ソオル社　昭和40年5月
『自由律俳句の道――荻原井泉水とその門下たち』井上三喜夫著　私家版　昭和41年
『自由律俳句史雑記』唐沢隆三著　ソオル社　昭和46年11月
『自由律俳句文学史』上田都史著　永田書房　昭和50年7月

『自由律俳句史『層雲』百年に関する史的研究』小山貴子著　私家版　平成25年12月

他にも、「新俳句講座」第三巻『自由律俳句作品集』や、上田都史・永田龍太郎編『自由律俳句作品史』などがあるが、本書では、極力、実際の資料にそって私自身の感想と作品や評論類を紹介して行きたい。

現代俳句文学全集類から、ほぼ自由律俳句は除外され、自由律を代表する荻原井泉水や中塚一碧楼、プロレタリア俳句系の栗林一石路（農夫）、橋本夢道の全集（評論を含む全句集はある）も刊行されていない。むしろ一般にも人気の高い種田山頭火や尾崎放哉は、かなりの程度その文業が集められており、詳しくその生涯をたどることも可能になっている。しかし、彼ら二人のみを見て、自由律俳句の世界ということはできないだろう。

『俳句人』のなかの自由律俳句

ともかくも、最初は終戦後の俳句界の動きをもっとも反映している新俳句人聯盟の機関誌『俳句人』に発表された、自由律俳句を見ていきたい。新俳句人聯盟は、『現代俳句大事典』（２００５・三省堂）によれば、「第二次大戦下に弾圧された新興俳句やプロレタリア俳句運動に携わった俳人たちを中心に、民主的俳句運動の全国組織として１９４６年（昭和21）5月に結成された俳句団体。戦中の日本文学報国会俳句部会による俳壇支配を打破して、民主的な文化活動を担う俳句の再建と進展を意図した。活動目的として、俳句本質の究明・現代俳句の確立・封建的結社意識の排除等を掲げた」（川名大）と評価されている。

中世和歌の研究者で、『寒雷』による俳人でもあった故井上宗雄先生旧蔵の俳句雑誌を、数年前入

『俳句人』創刊号
（昭和21年11月）

手する幸運に恵まれた。その中に『俳句人』が、昭和21年11月の創刊号から昭和25年5月号まで揃いではないが19冊ほどある。俳句文学館には完備しているが、手元にある意味はまた別である。

その『俳句人』終戦直後の号を通覧していると、極めて政治性の強い雑誌であることが分かる。前述の川名氏の事典解説も、続けて「戦後俳壇の推進力となったが、翌年（昭和22）6月、政治と文学の問題で紛糾、新興系俳人の多くが脱退した」とある。政治と文学の問題は永遠に解けないテーマであるようだ。その功罪は別として、『俳句人』の出発期に提出された左の記事などは、伝統俳句オンリーになってしまいがちな今日、再考されてよいテーマであるかもしれない。

戦争中の俳壇	古家榧夫	第一巻一号
座談会・再出発にあたりて		第一巻二号
俳壇戦犯裁判のこと	湊楊一郎	同
俳壇の戦犯問題について		第一巻三号
俳句における封建制	栗林一石路	同
リアリズム俳句の道	橋本夢道	第一巻四号

私は何をしたか　　　　栗林一石路　　　第一巻五号
草田男の犬　　　　　　赤城さかえ　　　第一巻七号
文化革命と俳句運動　　栗林一石路　　　第一巻八号
新俳壇論——俳句を愛する大衆と共に
　　　　　　　　　　石橋辰之助　　　第二巻二号

自由律俳句誌ではなく、俳句総合誌の中、つまり全体的な俳句の世界における当時の自由律俳句を見るには、『俳句人』がまずは適当かと思う。当時の自由律俳句の紹介として順に上げていきたい。

『俳句人』第一巻より

創刊号（昭和21年11月）

　炎天　読売闘争本部にて　　栗林一石路

たたかふ顔がひしひしとそとは日ざかり
汗の香の機械を恋ふる君とゐる
機械とゐたい心炎天におさえてゐる
炎天青し職場に帰る日のことを
君の汗の香にいく日のたたかひをおもふ

夏うぐひす　　　　　　　　　　橋本夢道

バスを待つ炎天の一列がある
水のすずしい川は炎天の中
とにかく過去を捨てに夏鶯の旅にゐる
あをじそに蝉の殻あり蝉の過去
夏木立昆虫一つ死にて墜つ

第一巻二号（昭和22年1月）

祭と人生　　　　　　　　　　橋本夢道

炎天にゆれつゝ太鼓は草や花にひびく
赤いダリアの炎天で神輿は置かれ金色に
いくさなき人生が来て夏祭
喧騒もし人は祭をたのしめり
もし人生が祭であればまたさびし

終戦の秋　　　　　　　　　　小澤武二

本はみな焼けてしまひ秋の灯の下にある二三冊の本
惜しかつた本の思出も虫に啼き細られてゐる

壁に己れの影遠い軽音楽も秋の宵すぎ
一間きりの住居にも馴れて紅葉が色づいてくる
紅葉もおほかたは散り罹災者として冬に真向ふ

霧　　　　　　　　　　　栗林一石路

風鈴が鳴り秋風とおもひ一人ゐる
秋晴妻となにやかや家のうらおもて
秋日照る顔一つ一つあきらかに
霧にうしろすがたはたらきにゆく
秋日うすし罷業のデスクやや埃り

第一巻三号（昭和22年5月）

悪農悪商　　　　　　　　　橋本夢道

地位もなし悪農といわれても米をかくしておく
作りたいいつしんに肥料のさぎりにもかかり馬鹿を見た
悪商ヤミ屋だがしかたがない悪政をにくむ
へつらへばことの事情をのみこんでまたくる役人

ひけどき　　　　　　　　　　栗林一石路
労働者ぐんぐんひけてくる夕日に染まり
工場を出るとからだで風にぶつかつてゆく
しまきに赤く日の落ちる方へひけてゆく
工場はひけて書記局にひとり少女と花
ハモニカふいて少年工は冬木による

第一巻四号（昭和22年6月）
　銀座風物詩　街に生くる人々　栗林一石路
くらい冬であつた街へ花屋ができた
人生は花ですよ奥さん――と花屋売りくる
春だ――とはおもいまた直角に街をまがる
ガード下から春があかるすぎる靴みがき
柳が芽ぶく夕刊売は母子であろうか

　銀座風物詩　プチブルの街　　橋本夢道
プチブルの街だ銀座の柳やわらかに青む
銀座がおびえ始まろうとする朝日が空の時計に射し

銀座十字路十字にせかされず十字にゆく笛を吹かる
儲けたいいつしん銀座千軒の鍋が火にかけられ
昼の銀座蒲やきのにおいにしみて目で見すぐ
生活日々に衰えここでズルチンしるこが流れこむ胃袋
銀座にも子供がいるぞ屈せず砂に汚れ
人くさき紙幣を数え銀座大小のネオン消ゆ

第一巻五号（昭和22年8月）

たまご　　橋本夢道

子供のとき母は卵を肺病の兄にのみ食わした
卵の記憶大正三年兄はその朝卵を啜りて死す
悪平等よ働かぬ俺がサシミ、テンプラを食うか
卵よ卵よどんな世にお前はどんな位置にいる
妻よこの卵牝どりは貧富のために生まざりき

無題　　栗林一石路

椎夫にあおう春の雪ふるより消え
本屋をやると椎夫は雨の日曜もいない

棚夫が引越しの縄でひつからげてぶつかさねてある本
もつてゆかれた本はよい本の引越しのほこり
くらしもいつしよに引越しの本と棚夫の奥さん

第一巻七号（十、十一月合併号）（昭和22年11月）

希望（四十一句よりはじめの八句抄録）　小澤武二

希望があるので生きてはゆく春のうすずく陽だ
叛くと見せて叛き得ぬ子の心を知つている春の夜
ほんに麦畑の青さ子供のように叫びたいな
れんぎようが咲くので心に蘇つてくるもの

『俳句人』第一巻七号
（昭和 22 年 11 月）

なんて汚ない姿で春の地に掃きおろされる
いつも大鞄さげて自分で闇屋といふ寒い姿だ
致死量といふ粉薬見せて白い歯を出して笑つた
獣のように運ばれて街に降りて務めてゆく

第一巻八号（昭和22年12月）

生活の花束（十四句よりはじめの六句抄録）　橋本夢道

乳離れの子が乳の向うにどうなるか解からぬ世

希望をもち絶望になり私も世に食い下がる一人
やっとバスに乗れたこともほつと生活の断片
前、人の真似をして暮らせば何となるだろうね
椅子に机がある美服なく生活の腰かけている
生きて死んだような勇気がいる生活の前後ろ

以上、第一巻の中より自由律俳句を抄録した。栗林一石路が新俳句人聯盟初代幹事長だが、全体から見て自由律がけして多いわけではない。社会性の勝った生活句、しかも連作が殆どである。

松尾敦之「原子ばくだんの跡」

『俳句人』第一巻で橋本夢道が三回に亘って「自由律俳句鑑賞」（二号、六号、七号）を連載している。むしろここで取り上げ紹介している作品の方が面白い。ことに第三回目で取り上げている『層雲』の松尾敦之（あつゆき）「原子ばくだんの跡」十句は心をうつ。十句全部を読みたいが、取りあえず夢道が取り上げている九句を紹介する。

ことときれし子をそばに、木も家もなく明けてくる（二児ばく死）
すべない地に置けば子にむらがる蝿
炎天子のいまわの水をさがしにゆく（長男亦死す）

この世の一夜を母のそばに、月がさしてゐるかほ
外には二つ、壕の内にも月さしてくるなきがら
ほのほ、兄をなかによりそうて火になる
かぜ、子らに火をつけてたばこいつぽんもらうて
まくらもと子を骨にしてあわれちちがはる
なにもかもなくなつた手に四まいの爆死証明
降伏のみことのり、妻をやく火いまぞ熾りつ

このような作品を読むと、定型も自由律も関係なくなる。松尾は体験のあとどの程度の時間を経て作品にできたのだろうか。

2　松尾敦之『原爆句抄』など

「とんぼう、子を焼く木をひろうてくる」

前節紹介した、『層雲』の俳人・松尾敦之の「原子ばくだんの跡」を読んでくれた、『円錐』同人・今泉康弘君が、『松尾あつゆき日記――原爆俳句、彷徨う魂の奇跡』（平田周編・長崎新聞社）という新書本が最近刊行されたと教えてくれた。偶然はあるものだと、早速取り寄せて目を通した。

同書は、二〇一二年八月三日に刊行されたもので、編者は松尾のただ一人生き残った娘みち子の長男である。

「原子ばくだんの跡」は、同書によれば『層雲』昭和21年12月号に掲載されたもののようだ。『松尾あつゆき日記』は「覚書（昭和20年8月9日～15日）」と「日記（昭和20年9月21日～21年6月9日）」からなるが、「覚書」は被災後に日記形式で記録されたもので既発表、「日記」は今回初めて発表されたもので、原爆で妻と三人の幼い子供を亡くし、家屋家財をも奪われ、さらには職までも失い、高等女学校生で瀕死の重傷を負った十五歳の娘と二人、安住の住まいを求めながらの絶望の日々が記録されている。いざとなれば二人阿蘇に身をなげて自殺をするだけだと心に決めている。この瀕死の娘さえ死んでくれればと時に思うが、やはり支えは娘の快復と俳句であった。できた俳句も日記に記されていく。心をうたれる作品が多いけれども、左の三句は痛切である。

たよりなげな陰のうす毛も、母のない子
たてにしてもよこにしても動かなくなった時計だ
よこにねせておけば動く時計

亡き妻に良く似た（同書巻頭に家族の写真がある）身体のきかない、うら若い娘を父が入浴させる。思うようにならない衣食や優れない娘の体調など、先の見えない生活を詠んだ哀切極まりない句だ。「覚書」には前節紹介した以外の次の句もある。

とんぼう、子を焼く木をひろうてくる
朝霧きょうだいよりそうたなりの骨で
くりかえし米の配給のことをこれが遺言か
炎天、妻に火をつけて水のむ

松尾は、どんなに苦しい時でも、句を作り続けた。俳句は絶望の中、微かではあるが確かな人生の杖たりえているのだ。

戦時中の松尾の句

手元に『層雲』の年刊句集に当たる『層雲第十六句集』（昭和17）と、戦時中、『層雲』が『海紅』『陸』と雑誌統合され『日本俳句』となっていた時期の作品を集めた『自由律俳句集』（『層雲句集第二十二集』にあたる。昭和33）がある。そこに掲載された、松尾の戦時中の句を紹介しておく。

月がくらくなつたり木の下の雪
暗いおくにはマリア様と御子、みんな畑にでてゐる
汗して、草のつゆもわくころ
青田のはての海の雲汽罐車に給水してゐる
出征のころゑ、機械のよこから旗とつてでる
はじめて握る手の放てば戦地へいつてしもう
しばらくは出征のうたごゑとゆきつとめへいそぐ
山に、空をまもる灯があつて秋めく満天の星
蹄鉄うつてもらうてゐる秋まつりのよこ
みんなそろうてひとりはねんねこのなかせつぶん
港を出ると荒れてゐるのみ水のひしゃく
もう蕗のとふが陸よりもきもの一枚ぬくい
夜に入つて風がおちたあかぎれの貝ぐすり

ねんねこの中の子は、原爆被害のときも赤子だった次女由紀子のことだろう。どこか戦時中の重苦しい気分はあるけれども、静かで落ち着いた生活が感じられる句だ。原爆は一瞬にしてその生活を破壊したのだ。

前節と今節紹介したような松尾敦之の思いは、果たして定型で表現できるのだろうか。松尾に俳句があったことは紛れも無い幸せであっただろうとは思うが、詠われている事実は不幸そのものである。松尾は時に旧約の「ヨブ記」を読み、中里介山（なかざとかいざん）「大菩薩峠」を読んで心の支えとしていた。否応なく襲いかかる悲劇、不条理というのだろう。

松尾の戦後

改造社は『昭和万葉集』の成功の勢いを受けて『俳句三代集』全九巻別巻一冊を企画した。本編完結後の昭和15年5月に刊行された別巻が「自由律俳句集」で荻原井泉水と中塚一碧楼が編集した。

この本については第二章で詳しく触れるが、この本には松尾敦之の作品が二十五句収録されている。これは井泉水や一碧楼などが最大数の四十句収録であったことからすると、当時既に自由律俳句界では知られた存在であったことを示すものだ。

空にもくれん、キリストは十字架に居られる
絵硝子ほのあかるくどこからか風がはいつてくるオルガン

松尾敦之著『原爆句抄』
（昭和 47 年 10 月・私家版）

　　海風つつぬけるみあしが消えもしないで、マリア

などの句がある。

　巻末の作者略歴によれば、当時三十五歳、商業学校教員で句集『浮灯台』があると記されている。

　この連載原稿を書いてからしばらくして、松尾の『原爆句抄』（昭和47）を入手することができた。巻頭に井泉水の「序にかえて」、巻末に松尾の「爆死証明」と「あとがき」が収められており、その後の足跡を知ることができた。「原子ばくだんの跡」は、最初『長崎文学』に送ったが掲載されずに返却されてきたが、『層雲』には昭和21年12月の冬季号に掲載された。その後、昭和30年に刊行された『句集長崎』（七二五人のアンソロジー）に収録され、その序文で『長崎文学』不掲載は占領軍の検閲によるものと判明した。『層雲』は検閲の眼を逃れたことで、当時これを読んだ橋本夢道が『俳句人』に紹介したわけだ。なお、「爆死証明」は昭和25年に俳句総合誌『俳句往来』に求められて執筆、後に『中央公論』昭和31年8月号に再録された。手元の『俳句往来』を調べると、創刊号の特集記事として、瀧春一の俳句小説「山湖にて」、阪口涯子の引揚手記「大連脱出」と共に掲載されている。合本用として各号の表紙を外したもので発行年月がわからないが、昭和26年1月である。古川克己の編集で泰光堂の刊行である。第二号巻末に全国主要俳人住所録が掲載されているが、松尾の住所は長野県埴科郡屋代町屋代高校となっている。『原爆句抄』の「あとがき」でもその点には触れられていて、昭和23年に再婚するが、「心の痛手を癒し、新しい生活に入る」ため、長野県の高等学校に転任、長野では同県の被爆者の会の設立に尽力、昭和36年退職して長崎に戻ったようだ。『原爆句抄』は私家版の非売品で、印刷は長崎市の藤木博英社である（一九七五年に文化評論出版、二〇一五年に書肆侃侃房から再刊）。

『俳句人』第二巻より

さて、前節に続き、新俳句人連盟の『俳句人』昭和23年分（手元にある五冊のみだが）から自由律作品を紹介する。

第二巻一号（昭和23年1月）

東京　木村飛泉子

関東水害地十五句より

水面に屋根だけの草の穂に秋風がゆれてゆく
水禍のあとに村あり人あり夕焼蟲の聲
きびしい災害の中しかし村民はたたかつてゐる
重く實つてキビが二三本と水禍地蟲が啼くばかり
白衣も残暑の汗と防疫液をさしつゞけてゆく

さんまの話　十三句より　橋本夢道

さんま食いたしされどさんまは空を泳ぐ
もしもさんまが食えたら千辛萬苦忘るべきに
ほんとうの話せめてせめてさんまの食える世がこい
東京や働けどさんまも食えずなり果てし

失われし生活　十句より　山口草蟲子

教権は立たず虹いっぱいの雲沈み又流る
地の鹽とよ向う見ずに焔へ飛ぶことに疲れしに
失われし生活誰の目か明日あるを信ぜむ
人を恐れるわが性木枯の深夜を歸らざる
生ける身の霧に犯され幾夜驛に睡りし

わがうた（四）九句より　橋本郁夫

四辻に汗ぬぐえり子に靴買わねばとおもう
あれた妻の手に子の重みを移す
つかれてはつひひとりおどけてみるかがみに

浅草風物詩　十句より　平松星童

やけて小さくなつた観音さまよ秋陽の昏いなかにおられる
オペラ役者のような燕ひるがえると浅草ごちゃごちゃ人がいて秋の日
仲見世あたり頭にほこりのせてあるく人々のしたしさ浅草

旗江（十月一日に生まれた長女）　十四句より　津田白

月が日のやうにかがやく二人目の子が生まれるんだ
産湯を沸かしながらすつかりよろこんでいる俺だ
子よ生活は苦しいが生まれることをお前も喜べよ

第二巻二号（昭和23年2月）

きみ　二十一句より　川村志青

メモを取るを忘れ君と名書いてぬりつぶしたりしている
シグナル青しさよならといつたばつかりなのに
君と別れて車窓の星にながれる電線

流氷の夜明　十一句より　山口草蟲子

枯草を焚こう流氷の沖鳴がせりあがつて來る
煤けたランプ死んだ漁師の顔浮かんでいて

爐にくべる烏貝葦火がすぐまつ黒になる
薬罐も黙りこくつて流氷の響きいていた
部厚いランプ流氷の詩稿などうそ寒くて

亀問答　十五句より　　橋本夢道

冬亀の　甲ら　かわきて　人の世　飢ゆ
冬の日を　亀は　甲らにのみ　たまわる
冬の亀　何主義も　特に理屈もなき　目つき
人の世と何の関係もなく亀は甲らの中に生く
亀よ　亀よ　貧乏の饑渇に　人は堪うべきや

第二巻三号（昭和23年3月）

日々行商　三十二句より　　加藤裸秋

食うのがやつとでぼろを着てそれでも梅がふくらんで
ここも買つてくれないぬかるみに柊の花
行商のわれにほうれん草の赤根は束ねてある村
赤々と冬日のさなかを行商人としてゆく
妻に日銭をわたしておく朝々、行商に出る

土龍の歌　二十六句より　　平松美之

もぐら月夜ははてもなくほつてゆく泣きながら
もぐらはもう泣くまいとおもい上は木の葉のつもるおと
もう何も信じないことにしもぐら口うごかしている
人にだまされずおのれをだますもぐらのくらいながい夜
年の暮の人間ねずみのように飢えて出歩く

雪の山脈　五十四句より　　栗林農夫

農地革命がわたしにも買収令書一枚
買いあげられる冬田を父は死んでいる
もうわたしの田ではない雪のひと並めに
ふるさとは雪の山朝日とつついて
空をかみきつて山脈が白い歯のように

バラード・ヂャポネーズ（連作俳句）　古家榧夫

司法省

天皇の法廷焼けぬ見て通る

天皇の法廷とわにがらんどう
天皇の法廷尾崎を殺せしか
天皇の法廷吾児を餓えしめき
天皇の法廷天火これを焼く

独房

夕暮れが夕暮れが迫つてくる
水道をひねつて物云わぬいちにち
水道をドアなき部屋に聞きたしかめる

第二巻四号（昭和23年5月）

慟哭（長男潤郎を不慮に失ふ）二十一句より　　福安愴桑子

一さじの水一さじの林檎汁あゝ何と美味しがる子よ死ぬな
七時間の縫合手術に耐へた幼い命におうおうと親
寝棺にニッコリした死顔を抱き入れる
慟哭の路は川岸にあつてそれを登り降りる
遺骨を抱いて省線にげつそりと、然し嘘ではないのだ

本誌の旧蔵者井上宗雄先生の句も「作品」欄に掲載されている。『寒雷』系の俳人の筈だが、本誌

では何故か自由律の作品である。

闇屋と言われても学生日をリユツクに負うてゆく
零が四つついている税金が來ている春先の店先
税金よりも母の泣きごとにつらく坐つている
重いリユツクで歸て來た母は何べんも思い出す
天皇にも赤旗にもかかわりなく窓口に税金納める

昭和23年の『俳句人』における自由律俳句は、前年よりも増えているようだ。すべて生活詠と言ってよい。リアリズム俳句というのであろう。俳句は作者の生活と密接に関係するものだが、あくまでも芸術であり、創作であり、生活＝俳句ではない。美を創造するものである。俳句に於ける美とは何か。それは調べであったり、花鳥諷詠のような、謡われる内容そのものの美であったり、もっと奥にある、人間が日々の生活の中で感じた思いを俳句という形につくりあげる、その行為そのものが美とも言えるのかもしれない。リアリズム俳句を前にすると、俳句の美とは何かという思いが一層強くなる。

3 『自由律』の創刊と生活の自然詩

俳句雑誌の統合と分裂

昭和15年4月に設立された日本俳句作家協会は第一部伝統派（有季定型）、第二部自由律（後に内在律と改称）及び新興派に分けられていた。同会は、昭和17年2月に日本文学報国会に抱合され俳句部会となって一部二部の区別はなくなるが、後の第二芸術論ではないが、一部二部という区別はおかしなものというしかない。ただ、現在も俳句史を語るとき、自由律はその範疇に入れないか、考察されるにしてもわずかに触れる程度の扱いでしかない。

確かに主流とはなりえなかった自由律だが、そんな中でも派閥があって離合集散を重ねてきた。特に戦時中は、雑誌の統合で、自由律の二大誌である荻原井泉水主宰の『層雲』と、中塚一碧楼主宰の『海紅』が昭和19年5月に統合され『日本俳句』となった。この誌名は両者の母体である河東碧梧桐が選を担当した雑誌『日本及日本人』の俳句欄「日本俳句」に因んだものであろう。だが、統合が強制的なものであった以上、一つの俳句雑誌に二つの中心があったような形であった。戦後、『日本俳句』は当然のように分裂、井泉水は昭和21年6月、「再建最初のページに」（二月十一日執筆）と題した宣言をして『層雲』を復活させた。この文章については次節で改めて触れたい。一碧楼は、経済的理由や健康面からすぐには『海紅』の復活を果たせず、西垣卍禅子（にしがきまんぜんじ）を中心とした『陸』と提携して昭和21年3月『自由律』を創刊する。『陸』は、卍禅子『俳誌稿』、原鈴華『碧雲』、杉山田庭『露』、宇野竹緒『鳴草』、加藤花臥衣『サンデウ』、内田南艸『多羅葉樹下』、朝倉九鵞子『白塔』、奥村四弦人『北斗』の八誌が『俳句日本』創刊以前に統合したものであった。『碧雲』は第二章で詳しくふれるが、私はほかの雑誌は見たことがない。

『自由律』は発行人中塚直三（一碧楼）、編集人西垣隆満（卍禅子）であるが、事実上は卍禅子にあったと、尾崎騾子著『中塚一碧楼研究』（昭和51・海紅同人句録社）に書かれている。

『自由律』創刊号は、同人作品欄である「第一輯」を巻頭に、随筆二（松宮寒骨）、俳壇無駄噺（淡路呼潮）、句評（妹尾美雄・宇野豕籙）、選句録（卍禅子・一碧楼）、新人はかうした意味で新俳句を作つて下さい――と私は云ふ2（卍禅子）、指針を記す13（一碧楼）、平野社二蓆、及び後記から構成されている。連載は『日本俳句』からの継続であろう。『自由律』は、昭和21年12月31日の一碧楼の没後に『海紅』が復刊した昭和22年1月号まで出された。

『自由律』創刊号「第一輯」から

『自由律』創刊号の巻頭「第一輯」（同人作品）にはどのような作品が掲載されたかを見てみよう。前節まで紹介してきた『俳句人』掲載の作品とは、同じ自由律といっても全く違った世界である。最初に喜谷六花（きたにりっか）と細谷不句（ほそやふく）という、河東碧梧桐に師事した新傾向俳句時代以来の古老俳人を配している。一人七句が収められているが、各人の作品一句ないし二句を選んであげてみる。

菊に佇めば雞ども雞ならぬ吾を囁き　喜谷六花
むき栗一つ二つをいたゞくそして見る著莪の葉きほひ　同
晒しある糸瓜ときどきに叩く一つの石　細谷不句
もみくちや車窓ゆ戸塚あたりが鷺四ツ五ツ　朝倉九鵞子
封筒はつて居り四畳半一つの家にてしぐれつつ　森林五
薄光る空の葡萄の赤葉つやや　稲垣一鳴
蝙蝠、平和産業の灯がつきはじめる　宇野豕籙
花にも落日おち葉を焚くひとり　櫛田東谷
雪晴町裏は紙芝居屋さんの赤い鼻　照井稗人
この頃さ濁り雨の川筋も腹立つことのみ　関口比呂志
木の葉降る昼酒はかなしき一つかも　伴野龍
橇曳く青年の手づな張つて雪吹く　すずきゆきひと
曇つた日の耕作悲哀の雲抱きつ　森谷乙山
歩みつづける、私のあなたのどなたもの粉雪　早川昇
山に来て寝る遠き山風の暗き窓　伊藤柳江
大口竈立て老いてぴつたりと瓦焼く瓦屋　園木六色子
ちいちいが鳴とる姉さん冠り夜業の粉挽臼　南畝三坡

山ぶだうがとれてそんなおばあさんとバス中　龍田真魚
湯呑と新聞とそれだけのきよらかな冬朝　伊藤弥太
木を伐るに冷えて来て吹きおろす風　田辺愛水
山へゆく猟師が声けさ田のうすらい　金子曙山
それは一つの岩のかたち雁来紅暮れてしまふ　松本西平
ふかし藷の冷えてゐて句誌を読みて　中根尉策
牛小舎へ牛を追ひ若者しあわせな肩幅　須貝秀
生き堪へる畝々泥深く菜を間引く　佐藤柊坡
もの書き終れば礼をいふ妻で冬の夜　半田雨衣
朝早くから山鳩なく炭竈のけぶり立つ　日下泰山楼
鴉まなこありあたり土凍つ　近藤紫村
声をかけたく藷の葉の茂り藷畑　一ノ瀬水楼
家に一本栗の木あり拾ふにぬれてゐる栗　渡辺碧山楼
農家の朝は脱穀する農夫と霜の田畑　大川しげる
藁刈り終へるをりをりにそらをとぶ鳥　永井はるを
崖の芒枯るゝ山みちの海遠し　泉大畊
畑の薄雪山羊ばかり鳴いて雲たれてゐる　秋元桜水
草のびほうけこゝの向日葵実を結びたる　藤田三六亭

気持定まりて地の石蕗黄なるべし　赤松英二
母の脊がみえ冷たい菜葉抜いてゐる　山本光王
病める友をり枕べりに我をり冬の朝　大倉親英
夜のどぶろくの徒に交わらない私に来るひとり　佐藤禾黄
なに言ふことがない壕に落葉はきこむ　牧野秋風嶺
堪へる生活を話す枇杷の木々夕日　今井行雄
石工の家ひろびろ芒ほゝけ火花ちらす男　佐藤豁山人
田の面暮れて来る満月の少し上り村人　武藤牧之秋
われもたれもゆくに霧に見えかくれする　牧田雨煙樹
しらす干しそれをいふ明らかに霜　堀川屈人
草が刈られ草がはこばれる空間秋の日　後藤零丁子
横付けの舟から籾のかますを運びて男　宮坂岱風
仔馬はね出すさざんくわの花さきし　黒丸古吉
土をかける軽くかける気持麦の芽　山田不雪郎
米を作つて米を作つて人が死ぬ芒の穂　川島南海城
懸巣が鳴くを落葉ふみふみゆく小径　沼文生
製本工場少女多く銀杏の葉ゆつくりとおち　星野武夫
甘藷の葉一色に青し動かない畑　藤森澤潟

冬の陽の色が大根の太きが泥に　田口朴也

湖鵜をる秋となりてなんぼうみずうみ深く　石田鳴子

櫨もみぢ散る山を後ろとほく来し思ひに　岡本影薫

稲架に稲を干す人は人とうごく日ざしに　松宮磨研

胸突く秋の出水川に四つ手を張つて　中原我楽

馬に尻尾あり冬の日じつとしてゐて之を動かす　水谷貞二

月代の雑木山細い雑木が冬　武居泊雨川

霜旦川迅きに渡しに一人のつてゐる　今川渓花

夜になつてそりが黒く見えてそり押す人　吉澤稲市

唐招提寺をはなれ靴の泥拭ふ秋の日　渡部冬三

葱は知性をかんじる葱をむきそれを煮る　吉川金次

あらゝぎの実は赤い頃日諏訪の大神　金子夜潮

八つ手の花が咲き人が通る人の横顔　秦白路

家のうちとの風林の風冬近く　木内柳陀

独居今日も長畦だいこん畠の見える朝　桔梗谷椋渓

鴨打ちかへる山はそのかたちにてくれる　筑波波秀

冬の七つ星落ちて来ない大空　守矢自由也

と言ふよりはむしろあはれむべき彼女のゑりまき　山崎多加士

わが真向登りくるは秋日の阿闍梨　石原蘇来
きびしくくらす或時菊見れば美しと見る　山田蒲公英
蝗を炒るとて厨にてその人の声　林鷲水城
牛とかへる秋の野のひろさをうしろにす　三国屋自省
ふたりくらしに馴れる父娘さざんくわに　浅野麗水
冬草生きてあり白い鶏と白い兎　小林満巨斗
冬朝淡路を近く道のある海　蓬莱鶯郎
雲さむし芽麦の丘を一つこえて来て逢へり　谷しんいち
わがこの日ゆく所ありて来かゝりし茶の花の所　福島一思
枯れがれの野にありてその牛の胴体　相沢華芳
東寺の塔みえ冬あさ雨ふつたあとの軒並　長屋青橙
雨降り公孫樹葉降りくらし居るに石の佛さま　渡部嫁ケ君
晴れると風が出て子供たちと麦の芽　九貫十中花
霜しろき気兼なくあるく　池田亜杜子
秋の雨降る雞のなく麦秋のいろ一色　若林乙吉
地の光り大根の葉二ならび朝やけて　松宮寒骨
芒の穂遠く山あり陶房からむとして西日　岡田平安堂
食ひつなぐ日々の雨にぬれて桜の太芽　田中海灯

葭の穂なびく浮草は向ふの岸べ　宮林釜村
冬朝めしをくふ母ありし時の如く大根おろし食ふ　高橋晩甘
日てり芒を刈り壕を埋めた我家　南晴星
道を仔牛引張る男と粉雪に降られつゝゆく朝　安斎桜磈子
けふ和平来塀うち枇杷咲く　妹尾美雄
枯芒鴉は鴉の子を連れて来て鳴く　内田南艸
われら冬木と共にある雲が夜が明けてくる　中塚一碧楼
息子還るを待つ霜朝家の戸をあける　同
老母寒い風のあり夕の陽萱の穂にも　西垣卍禅子
青い草の鉢を置てみて茶台にみんなの正月　同

以上は、同人作品欄で、他に一碧楼、卍禅子それぞれの選になる「選句録」が後半に掲載されている。それぞれの巻頭と二席を一句ずつあげておこう。

一碧楼選
牡蠣を剥くをんなひとり海あれば鷗浮びて　宮本夕漁子
増毛の雪嶺雪をかむりし肥桶を荷なふ　伊藤二一郎

『自由律』第一巻七号
（昭和 21 年 7 月）

卍禅子選

宵月明り枯れしと山々妙高見えて　稲垣藪柑子

疎開わびしも残菊時雨る夜毎夜毎の　久野仙雨

宮本と久野の名は『俳句三代集』別巻「自由律俳句集」（昭和15）にもあり、宮本は『海紅』同人、久野は様々な結社をへて当時は『白塔』同人であった。作品からも句歴を感じる。

以上の『自由律』創刊号は神奈川近代文学館所蔵のものによった。所持しているのは第一巻七号（昭和21年9月）のみである。発行人、編輯人とも創刊号と同じである。発行所も同じで、東京都足立区伊興町狭間の自由律社。この住所は、前節にも出てきた『俳句往来』第二号掲載の「主要俳人住所録」によれば、卍禅子の住所である。自由律社が後に新俳句社になる。昭和35年、彼の編になる『自由律俳句文学史』（新俳句講座第一巻）も新俳句社刊行で同住所である。

表紙裏から始まる「第一輯」三人目に、『碧雲』主宰の原鈴華の作品六句が掲載されている。初めの二句を紹介する。

梅の花へ月が出て水仕の音

戦時から日常へ

前節で取り上げ紹介した『俳句人』の作品が終戦後の社会の変化を反映していたのと比べると、戦争が終わり、戦場から故郷に帰り本来の生活にもどった人々の平穏な日常が詠まれているという印象である。僅かに、一碧楼の句に、息子が戦場から帰るのを待つ句があるのと、用のなくなった防空壕に落ち葉や芒の枯れ穂を捨てるという同趣の句が二つあるくらいで、戦争の影や、戦争を引き起こした側への責任追求、社会批判といった面は全く感じられない。「国破れて山河あり」という杜甫の詩があるが、まさにそのような作品群である。

もっとも、GHQのプレスコードに抵触する作品は掲載できなかったという面も無視できないかもしれないが、戦場での辛い経験は心の奥にしまいこんで、ともかくも貧しくはあるが必死に働いて生活を立て直そうというのが、当時の普通の人々の抱いていた思いなのかと思う。

句集『砲車』などで、戦争俳人として名声を得た長谷川素逝（そせい）が、軍務を去った後は『ふるさと』や『暦日』で、本来の自然派の俳句を作ったのとも共通したものがあるだろう。

ここに紹介した自由律の作品は、「ホトトギス」の花鳥諷詠とは違うが、生活の中の自然詩といってよいかと考える。季節感は濃厚であり、定型ではないが俳句として読んであまり違和感は覚えない。『俳句人』に掲載された社会性の勝った自由律作品が、感情をぶつけるために定型を破る必要があったのとは違う。だが、なぜ自由律なのか、自由律でなければ描けない世界なのかというのが、結局は自由律俳句を考える場合の最大にして基本的な問題となる。これは追々考えていきたいと思う。『自由律』創刊号の「編輯後記」の次の一文を紹介しておくことにする。

僕達の新装した姿は、旧来の読者には兎に角、一般には異状な感を与えたでありませう。これからは自由に、明朗に僕達は行動することが出来ます。然し大乗的には——もともと俳句日本社は戦争に依つて出来たもの故、終戦の今日解散が当然であると云へませうが、実は遺憾なのです。それは「和する心」と云ふ心の持ちやうが、俳壇にあつて急に捨てられてよいものとは思へないからです。和する心とは俳諧の道であり、人間としての生命の道でもあります。私達は性得「和」の人でありたい。真に人生を清らかに明朗に生きやうとすること、即ち「和」の心構こそ僕達の真実でありたいのです。

おそらく結社がなければ、今日の俳句は存在しないだろうが、人間一般の社会同様厄介な存在でもある。次節「荻原井泉水の戦後の出発」でも、この問題に触れることになる。

4 荻原井泉水の戦後の出発（上）

荻原井泉水は、昭和21年6月、「再建最初のページに」を掲げて、主宰誌『層雲』を復刊させる。そこには次のような文章があった。

勝算の無いことは解りきつてゐた

私は、戦争の最中に、所謂「戦争俳句」を作らなかつた。又層雲の選に当つても必勝信念風の句を好まなかつた。勿論、戦争を始めた以上は、日本国民として、負けてはならぬと思つてゐたが、何としても勝算の無いことは解りきつてゐたから、お題目のやうに合言葉のやうに「日本は勝つ」などとは云ひ放つ独り肩を張たやうな句はどうも空々しい気がしてならなかつた。そして、そんな安直な、神がゝり的な概念に陶酔してゐては反対に負けるぞ、とさへ感じてゐたのである。本土の空襲がひんぱんとなり、私の東京の家も焼かれ、鎌倉の仮寓も危く、日に夜に爆弾の恐怖にさらされるやうになつては、毎日の生活が戦争の中にあるので、しぜんと戦争意識が句として作らざるを得ない訳だが、其中にあつても、私は敵と味方といふ考を越えて、其上にある至高なる神の心と云ふべきものを、此の激しい人間我執の形相の彼方に感じたい、それが俳句ではないかと思つてゐたのである。

井泉水が戦争俳句を作らなかったといったらそれは事実に反するが、戦火想望俳句とか、戦意高揚を意識した俳句は確かに作っていない。今回は井泉水戦後の再出発を追っていくことにする。

右にあるような「勝算の無いことは解りきつてゐた」という認識が本当にあったとすれば、それは井泉水が昭和12年にハワイとアメリカ本土に二か月にわたって滞在し、その姿を直に知っていたからであろう。その折の作品を中心にまとめたのが昭和21年7月25日刊行の井泉水句集第八句集『千里行』（光文社）である。「後記」によれば、この句集は昭和20年5月に東京青山の家が空襲で焼け鎌倉に疎開、そこで「私の命のあるうちに清書だけしておこう、此の時代に出版なんぞ望まれないが…と考へつゝ空襲のサイレンが鳴ると、机の上に句帳を開きかけたまゝ、防空壕に飛び込んだり、今日も亦、朝顔の花は紺青に咲くと思ひながら、米機の来ぬ間にペンを執」って編まれたものだ。

井泉水の句集としては、昭和18年8月に、昭和7年から8年の作品を集めた第七句集『一不二』（桜井書店）が刊行されているが、これも『千里行』発行の同じ年、昭和21年10月10日に再版が出されている。句集の再版ということ自体もそうだが、戦中の出版物が、何も手を加えられずに、そのまま再版されるのは珍しい部類に属する。戦後の出版は、再版も含めGHQの検閲を必要としたから戦時色のあるものは発行できなかった。『一不二』も、昭和9年から12年の作品を収めた『千里行』も、太平洋戦争勃発前の作品であるため、戦争の影はほとんどないことが幸いしているのだろう。井泉水は、『層雲』復刊に続いてすぐにこの二冊の句集を出したのである。戦後を迎えた井泉水にとっても、その俳句理

右：『千里行』（昭和 21 年 7 月）
左：『一不二』（昭和 18 年 8 月）

念に反しない内容であったと考えて良いわけだ。

　井泉水の著書を集め始めてみるとその多さに驚かされる。句集のほか、俳句入門書、句論や随筆集など、戦前や終戦前後の物に限っても探すと次から次に出て来る。近代の代表的な俳人たちを振り返ると、自ら主宰する俳句誌の発展維持やその俳句理論の普及を第一とする俳人と、芸術至上主義というのか結社よりは自らの作品の深化を優先する俳人に分かれるように思う。井泉水は明らかに前者に属し、その生涯の目的は「自由律俳句」の普及にあり、膨大な執筆活動もそのためだったとみることが出来る。だが、不思議なことに全集が刊行されていない。井泉水の心酔者は少なくないはずだが何故だろうか。付録として巻末に「荻原井泉水著書目録抄」を収めたので参考にしてほしい。

レジスタンスの精神

　さて、井泉水の提唱した自由律俳句とはどんなものか、夏石番矢編『「俳句」百年の問い』（1995・講談社学術文庫）に収められた「本質的なるもの」と「異質的なるもの」（『自然・自己・自由――新短提唱』（昭和47・勁草書房より引用））は簡潔で解りやすい。夏石はその骨子として左の文を引き出している。

自由律俳句は、自由で流動的なリズムを持ち、俳句にとって異質なものをも吸収する詩である。と同時に、風雅な心境というう求心的な凝結性、つまり俳諧以来の本質的性格をあわせそなえ持つ。

井泉水は、「俳句における否定型試作の最初は芭蕉が早期における『虚栗』の運動である」「漢文の調子をもって、または日本の文法を無視したる用語をもって、在来の和歌系統の五七五調を破壊しようとした。これは今日の言葉で言えばレジスタンスである」と書いている。

「虚栗」調とは具体的どんなものか、連句の一例を上げておこう。一歌仙三十六句の内、頭（初折）の六句である。

花にうき世我酒白く食黒し　芭蕉
目ヲ尽ス陽炎の瘦　一晶
鶴啼て青鷺夏を隣るらん　嵐雪
童子礫を手折ル唐梅　其角
月を濁す汁の蓼ヲ芦刈て　嵐雪
浪のさゞれにたなご釣影　筆

以上のように、漢語の多用、字余り、破調などが特徴である。

井泉水の提唱する自由律俳句の大本はこのレジスタンスの精神にある。その上で、「芭蕉の心境が成長するとともに、また芭蕉の表現が円熟するとともに、この反抗的なものは終息し」「一つの運動というほどにも発展せずに終わ」り、蕪村は否定型的表現の少なくない俳人だが、それは「破格」ないし「破調」であり、蕪村調を模倣した正岡子規も同様。その中で明治末期に起こり、自らも河東碧梧桐とともに起こした「新傾向俳句」運動は、定型俳句に文学的限度を感じ、何らかの新しい俳句表現に意欲を示した芭蕉の『虚栗』の精神に通じるものだが、これも俳句の「改造」「解放」に過ぎなかったと規定している。

それに対し、大正2年に『層雲』に発表した「季題のことども」、また層雲第一句集『自然の扉』（大正3）、『俳句提唱』（大正6）をもって開始した「自由律俳句」（最初は「新しい俳句」と称した）は、「季題の無視」を基本としたもので、さらに次のようなものであると書いている。

広義に於て言えば、否定型なるものはすべて「自由律」と見られている。自由律俳句の雑誌というものも現在数種出ている。だが、それは「短き散文」と言うほうがむしろ正当ではないかと私は考える。一体、「詩」か「散文」かということを判別することは、その内容においてポエジイをもつかどうかという点と、その表現においてリズムをもつかどうかという点である。ただ端的に一行として書いてあるものであっても、それがリズムをもっていなければ「詩」とは言われないし、且つ俳句的なリズムをもっていなければ「自由律俳句」とは言われないと、私は考える。

何をもって「詩」といい、リズム感があるとするのか、基準を設けることは現実的には難しい。その中で、井泉水の俳句理念が同人たちにも浸透した、大正8年12月の層雲第二句集『生命の木』には種田山頭火、尾崎放哉、秋山秋紅蓼（しゅうこうりょう）、小沢武二（たけじ）、栗林一石路など一五一名の作品が収められた。自らの作品としては次の句をあげている。

たんぽぽたんぽぽ砂浜に春が目をひらく
みどりゆらゆらゆらめきて動く暁
我がもどる月のみち一すぢ
水に陽の青さきはまれば浪おこる
水のふかさを身に張りたわむ棹細し
朝日したたり流るる山の底の家

さらに、「俳句の中における詩のこころは芭蕉の句にあり、蕪村の句にあり、新傾向俳句にもあったには相違ないけれども、それは俳句的自然観照ともいうべき看点から取り上げられた「詩」であって、一般の——西洋風の詩をもこめて——「詩」のこころから見れば、甚だ狭い、いわば「俳句らしい詩」であったのである」が、自由律俳句によってその視野がにわかに拡大されたとしている。

最初に書いた夏石が引用した文章では、次のように詳しく書かれてもいる。

俳諧文学というものは、詩＝文学としての流動性と風雅＝心境としての「凝結性」との両面をもっていなければならない。この凝結性が形式として一般化したものが定型という表現意識の定着性である。今日、われわれの自由律俳句というものは、この定着性を溶解して、これに詩としての「流動性」を与えたものである。だが、流動性を好むがままに流動せしめて俳句として凝結すべき心境を喪失してはならない。「自由律」の自由はノホウズな流動的自由ではなくして、心境的な自制をもってしなければならない。

これらの考えは、昭和13年に刊行された第一書房の『俳句文學全集』「荻原井泉水篇」に収められた「宣言の一、二」では次のように示されている。

句には其人の相あるべし、これ面貌なり
句にはなごやかさあるべし、これ音声なり
句にはあたたかさあるべし、これ体温なり
句にははりとながれあるべし、これ血行なり
　ましで句には真実なかるべからず、これ魂なればなり
俳句は矢なり
みじかき、一すじの、たわみなき矢なり
ますぐに、誤たず、ひたむきに射よ

但し、わが的ははりぬきの的にあらず
　わが的は日なり、月なり、はた人の胸なる心臓なり

長々と引用したが、こうした井泉水の言動には、宗教的なあるいは政治的な指導者に見られるようなカリスマ性が感じられないだろうか。

『千里行』と『一不二』より

さて、昭和21年に刊行された『千里行』と『一不二』再版に収められた作品を見ると、厳選され、あるいは厳しい推敲の基に完成された作品集というのではなく、日々出来た句はことごとく収めているのではないかという句数である。『一不二』は毎ページタイトルと作品六句を収めて二〇〇頁だから約一二〇〇句、『千里行』は一頁にタイトルと七句で二四〇頁だから約一六八〇句を収めている。それぞれ、二年、三年間に出来た作品である。『一不二』の「昭和十八年――芭蕉二百五十回忌の年の春」と記された「後記」に「此一冊として集めた自分の作品は、鎌倉に住んでゐた頃の句帖を改めて整理したもので、既に発表した作もあるが、その作も大かたは手を入れたし、又、此集をもつてはじめて出した作も少なくない」とあるからもちろん推敲され編集されてはいるのだが、一年間に五五〇〇句から六〇〇〇句が生み出されている。一日に一句二句と考えるとさほどには思えないが、ほかの俳人と比較してどうなのだろうか。それはともかくも読んで感じるのは、すでに大家として完成した安定感であると同時に、先に引用した井泉水が「自由律俳句」の神髄とした既成の俳句への強いレ

ジスタンスなどは感じられない。試みに『一不二』前半から私の目にとまった作品をいくつか引用してみる。

青潮飛び出て飛ぶ魚の魚の目はらんらん
清水うまくて流人の僧が昔の事
鮎釣る人もわたしたちも暮れてゆくばかり
萩の、芙蓉の、亡き妻の墓へ妻と来る
とんぼとんぼ水平線がすうつと一本

先に紹介した大正六年の『生命の木』収録の句と比べると、オノマトペというのか同じ言葉の繰り返しなどから作られるリズム感に共通したものがあり、さすがに表現の複雑さを増している。しかし、これは選んだ句であり、全体から見ればさほどの変化はないように思う。
『千里行』からは、渡米中の作品を見てみよう。

手に手に花を、花をわたしに、手を
花が来てそれから君が、夏もまだ朝涼
白堊に高く神を説く人の群像と夏の雲
椰子の葉の月は五日ごろの海にうつる程

ノックしても啄木鳥のやうな、にれの木おちば
雲こんじきに日はしずむまでの草の上にて
丘を越すと丘、家があると花を作り
空に山の、青空に枯草山のもりあがる道
キャンプファイアも消えると月光の雪山を遠くに
その水鹿のゐて静かに飲んで去にたる其のあと

アメリカ文明の先端を見たというよりは、広大な国土と大自然を満喫した旅であったようだ。作風に取り立てた新鮮味はないが、アメリカの自然は井泉水の性格には適していたのか、のびやかな感じは受ける。その広大さに日本との国力の差を見ることは出来たろう。

『千里行』には七ページに及ぶ長い「後記」があるが、そこに昭和20年8月15日終戦の日の作が収められている。

あゝ秋日面に厳し泣くべきものか
秋蝉嘘啼するごとし其声やがて静もり
今にして英霊に、ことしはや萩の花咲き
と、見るものさびし石に羽伏す蜻蛉も

そして、こう続けている。

終戦が夢であつて、その夢が覚めたのではなくて、八年余りの戦争というものが大きな夢であつて、今こそ其の長い夢が覚めたといふ気持ちなのである

人間の歴史をふり返ると、同じ過ちを何度も何度も繰り返して懲りないようである。辛かった戦時を悪夢と捉えて忘却しようとする。それは生存していくためにやむを得ないことなのだろうか。

5　荻原井泉水の戦後の出発（下）

激動の時代でもゆるぎなく

『層雲』復刊号（第34巻1号・昭和21年6月）に掲載された、井泉水の「春雪旅情」と題した十八句は、左のような作品である。昭和21年3月7日から11日の作品で、半分の九句を引用する。日付は省略する。

○尾張内海にて橋本健三郎に迎へらる
浜は小松の淡雪、浪は遠くより寄せひろがり
海よりだんだんの屋根も菜ばたけも雪
窓は高みにも菜畑そのまへの枯木二本と四本雪の風景
○伊勢小松に故小松途従の家を訪ふ
星は雪がひたへにちらちらすると隠れてゐる
道は、雪の川をはなれてよりの夜ふかくなる
泊められて明けて　雪のつばき
○美濃大江村輪中荘（水谷青史方）にて病む

藪に梅のまた行くと藪に雪ちらちらす
けふも雪の、けさはうぐひす泊り居て
鋸の音ずいこずいこ淡雪日のさしてきたらしく

井泉水のこうした作風は、昭和35年に喜寿を記念して、大正元年から昭和20年までの作品から自選した句集『原泉』（層雲社）から判断すると、昭和10年以降の傾向である。関東大震災後に移り住んだ京都と鎌倉時代を挟み、昭和9年暮れに東京麻布の新居に移って以後からのようだ。『層雲』復刊以前の井泉水の作品として、『原泉』より、昭和20年8月15日以降の作品から十六句を引用する。

日はなくて明るくて草取つている此の時
げに山河あり雲をいでて月の清さなり
星それぞれの秋の座にあり戦終わり
いこえばひるむしのあわのほ
そばの花にみぞそばの咲きあふれていて此の道
これが宿であろうか紅葉にちいさな家の犬の二匹
犬の皮着て犬つれて山も紅葉おちばも紅葉
月夜は雲もなくて山の寒い湯宿の菜ばたけ

宿の二階からりんご投げて受けて紅葉見に行く
山の昼ひとときは日がさすとちの実の一むしろ
山は新雪けさ落葉松林おちばふみゆく
形うつくしきは味宜しき柿である火燵板のうえ
憩うと粟の穂遠くで川音のような
初茸その中に紅茸干して露けくて日のさし
夜雨の朝日の白色レグホン冬の朝あるく
とにかく半作のことしの落穂干してある日の照り

『層雲』は昭和19年に休刊しているからどこに発表されたものなのだろう。前節でも書いたように、これらの作品から受ける印象は激動の時代の中にあってもゆるぎない安定感である。高浜虚子が戦争中も終戦後もほとんど変化を見せなかったのと共通している。
『俳句研究』昭和51年11月号（荻原井泉水追悼特集）に瓜生敏一が「荻原井泉水と『層雲』」と題して左のように書いている。

井泉水は、京都生活四年ばかりの後、京都を引き払って鎌倉に移り、昭和四年、数え年四十六歳のとき再婚、ここに井泉水第二の生活がはじまった。この頃すでに、わが国の文壇はプロレタリア文学によって大きくゆり動かされていた。「層雲」でも、昭和四年から五年にかけて、栗林一石路らによってプロレタリア俳句が唱えられた。階級意識の高揚を叫ぶマルクス主義的俳句観は、個人主義的傾向の強い「層雲」の人々の受け容れるところとはならなかった。

時代は、やがて戦争の時代に突入、俳壇の進歩的分子は検挙され、自由律の呼称も内在律と改められるに至った。

昭和10年以前の井泉水の作品は、震災以降の作品に限っても左のようものだ。『原泉』から引用する。

空気のぬけた枕で夢を見ていた
塔のほのぼの春あけぼのの水も
稲田の野菊の紫村というところ
あゆみゆくもの桃の林なる一ところ
もう咲いてげんげすててある
ゆきの日のゆうびんのおとかよ

昭和10年の井泉水の句に

そのうち落語でも聞きにゆきたい妻と秋の団扇

という作品があるが、作風が変化した昭和10年以降の作品を読むと、栗林一石路、橋本夢道、小沢武二といったプロレタリア俳句の中心メンバーが『層雲』出身であることを考え合わせ、思想的には違うが、俳句の形としては、逆に井泉水が彼らの影響を受けたという面もあるかもしれない、という考えが頭をよぎる。

時代への柔軟性

井泉水が晩年に自ら選んだ『原泉』（昭和35）、『長流』（昭和39）、『大江』（昭和46）、今私の手元にある句集『皆懺悔』（昭和3）、『梵行品』（昭和8）、『無所住』（昭和10）、『一不二』（昭和18）、『千里行』（昭和21）では随分と印象が違う。晩年に辿りついた俳句観から編まれた句集と、それぞれの時代の成果として編まれた句集では違って当然である。しかし、第一句集『湧きいづるもの』から第八句集『千里行』にしても、生前四十四句集（大正3〜昭和51）まで出された「層雲年刊句集」にしても、自由律俳句の牙城としての『層雲』の維持発展の手段として編まれてきた、という背景があったのではないだろうか。時の流れを敏感に受けとめて変化していく井泉水の柔軟性が、晩年の自選集との違いに関係しているのではないかと私は考える。

その一方で、大正9年から12年の作品を集めた『皆懺悔』を読むと、句集に細かな目次もあるし、いわゆる連作俳句を集めたものである。季語、定型を基本とする伝統俳句の歴史では、昭和2年の水原秋桜子（みずはらしゅうおうし）の「筑波山縁起」を連作俳句の嚆矢とし、新興俳句の興隆を招いたとされるが、連作というだけなら井泉水が数年先行したことになる。ただ秋桜子や山口誓子（やまぐちせいし）のように連作全体を発想段階から構成するといったことは井泉水にはなかったろうから、違うといえば違うのだが、『皆懺悔』の「雪景」（大正９年２月）と題された、

海や雪はかの岬より晴れかかり
雪は菜畑の青さ蔽ひきるより晴れ
雪山どつと朝日なだれて来り
雪の晴れし朝を踏み来る踏み来る
雪晴の海になびくはみんな工場の烟
こども雪晴の手すりにしかとつかまり

などは、山口誓子の句、例えば、『凍港』の「犬橇」をテーマとした一連の作品（大正15）、

犬橇のかへる雪解の道の夕凝りに
事務長や船を留守なる犬橇の輿
氷海やはるかに一聯迎ひ橇
氷海やはやれる橇にたわむところ
氷海や月のあかりの荷役橇

などに一種通じるものがあるのではないだろうか。

さて、終戦直後の井泉水に話題を戻す。『層雲』復刊号に「鎌倉日記」という欄がある。その昭和21年2月5日と9日の記述に次のような箇所がある。

このごろ、話題の第一は天皇制是非だが、ともかく斯うしたことは遠慮なく口にすることの出来る世の中となつたことは朗かではないかと思ふ。天皇はわれわれ日本人の宗家として、日本の国の存するかぎり尊敬せられよう。それは感情に過ぎぬといふ理論も一理あるが、感情の真実といふことも亦たしかに真実である。ただ、一国の政治といふものと、感情を混淆しないやうな、新しい制度にすることは必要だ。天皇は富士山のやうなもので、科学的には一死火山に過ぎないが、その秀麗は仰いで、日本の象徴とするに足りるとする武藤貞一氏の説はいい。天皇を廃して大統領にしたならば、暗殺につぐ暗殺が行はれよう、といふ賀川豊彦氏の考もうなづかれる。

映画のやうな人気的の企業は、戦争中には戦争に便乗、降伏後は戦勝国に便乗といふ気持ちも解るけれども、一方、映画のやうな大衆的に感化力の多いものには健全なる指導性をもたせたい、それが国家としての指導性と協調することは当然の責任ではないかと思ふ。

『層雲』34巻1号
（昭和21年6月）

こうした井泉水の戦後の随想は興味深いが、当時次々に刊行された随想集である『京洛春秋』（昭和21・臼井書房）、『死面の蘇生』（昭和22・一燈書房、昭和24・詩と音楽社から復刊）、『鮎』（昭和24・目黒書店）などは、いずれも戦前戦中の随想を集めたものである。戦後随想を集めた本にどんな本があるのかまだ調べていない。全集がないから現物で確かめるしかないのだ。

前述の『俳句研究』荻原井泉水追悼号に、井手逸郎が「荻原井泉水の俳論」と題して次のように書いている。

「自然・自己・自由不二体」ということは「層雲」自由律俳句の一大テーゼではあっても、とてもむつかしいことであるので、「層雲」同人の理解が充分だったとは思われぬ。——そのことが井泉水に反作用して、少なくとも自分の生活の中でだけは、このむつかしい境地を体現してみよう——この気持ちがあふれることになる。井泉水は「旅と風狂の人」と云われるほどに旅というものに徹せられたのだが、それもこれも、この反作用的気持から出たことではないかと考えられる。

最初に引用した復刊号掲載の「春雪旅情」もそうだが、各地同人の名を入れることで、結社のさらなる結束を図るという計算というか意志はあったろう。そういう主宰としての制約から自由な井泉水を見てみたいと思うが、それでは井泉水ではなくなってしまうのかもしれない。近代の俳句史は、自由律俳句をその範疇に入れることなく成立しているが、やはり総合的に見るべきで、そうすることで、井泉水の評価は大分変化すると思われる。

『層雲』復刊号より

『層雲』復刊号「麗日壇・井泉水選」と「明月壇・特選」から代表的同人たちの作品を紹介してみる。

「麗日壇」より

　大越吾亦紅
馬橇の鈴の今年も聞けるころとなりてあけくれ
しらじらと日のてる羽後の稲田刈田のおもて
　秋山秋紅蓼
荷物振り分けて肩にする山は晴れてゐる冬の雲
ここにふきのと青々と山から出ても山の中
　池原魚眠洞
家が水田に横向いて雪のふりやんでゐる
寝るころのもういい雪になつてゐて松の葉まだ降る
　木村緑平
春もさくらのちるときの雨松の葉にふり

雨が青葉をうつ音が柿の青い葉
　内島北琅
兎巣箱を出て白く雪の中元日
笑つて雪の道臼をころがしころげて行く
　池田詩外楼
雪から桐が一本はつきりと冬である
雪とかす雨の、正月も終わらうとする肴屋の鯖
　井手逸郎
谷あひ深さは日のさしてくるときむめの木
こんこんきつねのおいなりさんのとりゐに雪になりさうな日ざし

「明月壇」特選より
　平松星童
ゆうやけがあをざめてゆくをランプのほやの金色のゆめ
窓にゆきの、その空に星のオルガンのふた
　飯尾青城子
蕗のたうが出ましたよおばあさん此のうちの古い時計がボンボンボン
鴉のいそぐ夕空の下戦災孤児といふのです

田中井夢
島の駐在さんも月夜であるたたみのうちわ
母とをんなふたりのくらしの朝は朝顔のさく二階
家木鉉十郎
降つたあとさむくてクレーンが月を吊りさげてゐる
雪のよる何か花の匂ひがほしいような妻がゐる

『層雲』復刊後の内紛

『層雲』復刊後の動向を追う資料は所持していないので、小山貴子著『自由律俳句誌『層雲』に関する史的研究』と、西垣卍禅子編『自由律俳句文学史』収録の岡栄一「抄録『層雲』傍系誌」によって概略を触れておく。

昭和21年6月号、秋季号、冬季号、昭和22年春季号、夏季号の五冊が第34巻で、昭和22年7月号が第35巻1号で、編集発行人が井泉水から伊東俊二に代わり、発行所も京都へ移った。現実的には復刊後の事実上の運営は既に伊東が担当していた。井泉水は責任者としての肩の荷を下ろし執筆活動に専念したいという意向があった。ところが、平松星童など若手同人から「反逆精神や開拓精神が減退している」との『層雲』批判が起こってきた。彼等は昭和24年7月に『河童』（翌年12月終刊）、昭和26年6月には『連山』（同年12月終刊）を創刊する。主要同人を含む「分派行動」に危惧を抱いた井泉水や同人によって、『層雲』の編集責任は昭和26年3月から再び、東京の井泉水に戻った。

誌歴を重ね、組織が大きくなると起こりがちな動きである。詳しくは前記二書を参照されたい。

6　合同戦争俳句集『みいくさ集』が描いた銃後

自由律戦争俳句集

自由律俳句系諸派による合同戦争俳句集『みいくさ集』を紹介する。書誌は左の通りだ。
『新俳句　みいくさ集』西垣卍禅子編纂、昭和19年1月20日納本、同年2月1日初版発行。八〇〇部、B6判、三四〇頁、頒価二円五十銭、発行者内田寛治、印刷所黎明調社印刷部、黎明調社発行。

この時期の奥付には、「出版会承認〇〇〇号」という表記が入るはずだが、見当たらない。検印紙を貼るスペースがあけられているが、そこも空欄のままだ。当時の統制団体日本出版会の承認は、例えば、『馬酔木』同人による戦争俳句集『聖戦俳句集』（水原秋桜子編・昭和18年8月・石原求龍堂）には、「出文協承認　ア480169」と表記されている。日本出版文化協会（15年8月に設立）は、18年3月に日本出版会に変わっているが、承認を受けたのは、まだ日本出版文化協会の時期だったのだろう。『みいくさ集』とほぼ同時期の、日本文学報国会編『俳句のすゝめ』（昭和19年6月・三省堂）では「出版会承認い470261号」となっている。それといささか疑問なのは、『みいくさ集』の発行部数が八〇〇部と少ないことだ。『聖戦俳句集』は五〇〇〇部、『俳句のすゝめ』は一〇〇〇〇部の発行である。『みいくさ集』には「白塔会、北斗社、海紅社、多羅葉樹下社、層雲社、新日本俳句会」に参加する俳人から募集した三〇八一句が収録されている。一人十句を越えないようにされており、平均すると一頁あたり二・五人で、三三〇頁だから、少なくも八〇〇名が出稿していることを考えると、この種の出版物として八〇〇部という部数は少なすぎる。出稿者に配って終わりである。承認番号の欠如と少数発行に何か関係があるのだろうか。

巻末に、前記六社連名で、昭和18年8月付の『みいくさ集』俳句募集の趣旨」が掲載されている。

聖戦下の一億国民は、前線銃後の別なく、尽忠報国の精神と実行力の発揮、必勝の信念の下に、堂々大理想の実現に邁進してゐます。

俳壇は今や、挙げて新体制への突進であり、新俳句人の総進軍は、誠に　大君の御楯となりて仕へまつらむ、の皇軍将士と同様、崇高なる献身奉公の精神に奮起するものであります。

就いては、下記事項にもとづき、諸氏から愛国作品を募集いたしたひと思ひます。報国精神昂揚の緊急なる時、ふるつて御投稿あらんことを希望いたします。

喜谷六花と西垣卍禅子連名の「あとがき」には「このみいくさ集は各俳句結社の単なる綜合句集ではありませぬ。結社を超越する国家的な意識と認識とに基づいて奮起した俳壇総決起の句集であります。」とあるが、自由律俳句による戦争俳句集であり、全俳壇にわたるものではない。実際に「あとがき」では、自らは「新俳句」、伝統俳句を「旧俳句」と規定して次のように書いている。

我々の俳句性とは、真の伝統として俳句作家が俳句人になりきることで、俳句といふ疇型がない無の俳句の歴史的現実にあるものであります。（略）

新俳句が旧俳句を越える行為的建設には、個人の決断、根源に於ける自覚が中心的意味をもつてくるものでありますから、新俳句は作品呼称の問題ではなく、人間のあり方の問題となり、無我の精神、個性の純化といふ生命問題を孕むのであります。

これほど日本的な文学がどこにありませうか。我々の俳句性の伝統にあつて、従来の外的詩史の記述に過ぎぬ俳句性論を排し、かかる反省と自覚とによつて成る行為の俳句の集成がみいくさ集であります。決戦下に於ける真の俳句作家の至誠の作品と称すべきであると確信致します。（略）

俳句はただ花鳥諷詠を以て事足れりとする概念は今なほ広く浸潤してをりますが、それに対し、俳句は自己のゐる直接の場——戦地、工場、鉱山、家庭、街頭、田畑、山野からそのまま聖戦遂行の俳句が生まれることを作品を以て訴へたいのであります。かかる意味に於きましても本みいくさ集の発刊は、その影響する所甚大なるを信じて疑はないのであります。

前にも書いたが、昭和15年4月創設の日本俳句作家協会では、伝統俳句が第一部、自由律と新興俳句は第二部とされ、17年2月に日本文学報国会俳句部会では一部二部の区別が廃止されたが、右の論旨では、分派を助長するようなもので、日本出版会の承認がないのも、案外そのような背景が関係しているのではないかと想像したくなる。

なお、巻頭には荻原井泉水、中塚一碧楼の「序」があるが、飾りのようなものである。実際の編纂は喜谷六花（『海紅』同人）、西垣卍禅子（『新俳句』主宰）があたり、九貫十中花、福島農夫男、米倉勇美が補助した。卍禅子は、戦後、一碧楼の『海紅』と連合して『自由律』を実質的に主宰したが、雑誌は短命に終わった。

戦時中の政策で多くの俳句雑誌が統廃号を余儀なくされたが、残った俳誌の中で、『ホトトギス』は昭和14年10月に『支那事変俳句集』、『馬酔木』は前記の『聖戦俳句集』を刊行し、『寒雷』は昭和19年2月号で「大東亜戦争俳句集」を特集している。自由律系では一碧楼の『海紅』と井泉水の『層雲』は統合させられて、昭和19年5月に『日本俳句』となった。『みいくさ集』は、その『日本俳句』による刊行とみなしてよいかと思うが、一碧楼や井泉水の考えというよりは、卍禅子の意向が強く反映されたものではないだろうか。

『みいくさ集』の銃後俳句

収録は、投句家の五十音順である。以下、私が名を知る俳人の作品を二、三句ずつ紹介する。

聖戦百年決意吹雪の音おほろかに住み　　安斎桜磈子
国に戦意満つそのやう落葉満つ溝々　　同
読書(ヨミ)さしざし　いつに窓晴(セイロウ)　ペンとかふ　　阿部木実男
秋になつて爺さんせつせ精出してゐる　　青木此君楼
麦の取入れ爺さんの麦もとりいれる　　同

街から街が朝である軍歌おこりくる冬空一枚　秋山秋紅蓼

みいくさ四方に捷つ夏草ただに青し　同

勝ちぬくためにいのちおしむうめのはなは散る　同

遺骨の父をむかへるきものきていさみてゐるを　池田詩外楼

軍馬へ北支へ送るのでたかいといふにんじんが汁の中　同

征てから産れた児を抱いて遺骨の白い包のあと　同

踏切り暮方無蓋貨車ながながと戦争はまだまだ続く　同

相撲うて黒い裸んぼ、はだかんぼみんな日本のこども　池原魚眠洞

その眼街はす征くときまつて落ちつきましたといふ　同

奉仕隊に加はり田を植ゑる曲らず植ゑる　泉　大畊

にひなめの神賑ひの花火はもあがり　井手逸郎

戦捷つてぢいさんばあさんの出てゐるささげの畑　同

開いてぼたんの大輪空襲警報しきり　同

兵をおくり兵を迎へひでりつづてゐる　井上一二

大戦争のたゞ中青少年団の誓凛々しく空の青よ　上田都史

歩調を取りやがて頭有といふ大戦争の中の少年等　同

すめらみいくさなれば少年等心すなほにして明るし　同

島を守り島に果てし命こそつはもの　内田南艸

白日のきらつく印度よ　逞しきロイド眼鏡のボースである　瓜生敏一
英霊つねに照覧しゐます　とりまきのまどろみ　同
敵機待つあるに恃む木の葉はらはら散る　内島北琅
空に春の月わがにつぽんの月この三日月　同
米艦隊全滅野づらしつかり麦踏んでゐる　同
あほうどりとんでもとんでも寒い海の暮れる　尾崎驟子
木の実はちいさい冬日諏訪宮の御柱　同
おん言葉戦を宣らす此時落葉掃く者も　荻原井泉水
宣戦布告冬日しずかに児等は学校より帰る　同
また霜月十二月となつてけさ晴れて八日の霜　同
山の空ここに育つて壮丁のはなし夕べ父の前　大越吾亦紅
吾が子兵営私は市内の家はほととぎすなく　同
決戦日本わらうち砧の実にしずかなる山河　同
生活にはまだ無駄が庭が茂つてくる　小澤武二
防空服装日の晴れて高く飛んでゐる鳶　同
決戦は毎日の大本営が逞しい茂りの中　同
日の丸額面鮮明、黙礼する大きな意志だ　兼崎地橙孫
衣食一いろの現実、国大いに興るとき　同

冬海この海のはろかわがつわものはいくさ　喜谷六花
ここにも戦へる天灼くるを日の下に刈る草　同
君再びの出征太刀腰にきまる夏日　同
草原を戦車驀進する　赤く大きい日本の陽　木下笑風
ひと雨ひと雨　木の芽青く　ビルマ使節迎ふ旗　同
銃後の俺達として空のないところに石炭掘りにゆく　木村緑平
麦の芽村の少年航空兵希望　同
天の川かちどきのラツパがきこえるやうな　酒井仙酔楼
大本営発表みんな読んで行く夾竹桃の花　同
笑まし兵隊達の集り榎の実が落つる　九貫十中花
日本の戦車の話をする子供と蒲団に寝る　同
戦時ほのぼの冬木一本二本ほのぼのと冬木　鈴木あつみ
木の風のあかるい夜のラヂオ終りまできく　芹田鳳車
大き稜威に戦つづける日本八ツ手花さき　高橋晩甘
沖からしずかな波が来る潮にしづむ　谷しんいち
三月夜空すこし寒くて星と標識燈の一機　同
船がまどに部隊計理事務まなつ　田中井夢
明日は征く身の今日人の征く人のなか送つて行く　同

部隊と共にあるこころ木槿に窓をあける　中塚一碧楼
戦ひ勝つ濃き朝霧の芋畑　同
敵を殲滅す春晨水を踏みわたり　同
空暗ければ爆音の朝の佛前にともしぬ　西垣卍禅子
弔旗の青葉の影々一日中坐つてゐる　同
その応召の鐘と人影と住職合掌してゐる　同
冬さんらんと大君の持たせる我土　萩原蘿月
お昼餉だその勝どきだ新日本　同
寒空大といふ字生きてゐる動いてゐる地図　原鈴華
空の軍神讃へられ此の年の水仙白く　同
葡萄一つぶ一つぶを味はふ子とみいくさかたらひ　林雀背
金星がでてをるランプともさう　平松星童
花が葉になる雨の、英霊に脱帽　同
神国地の清浄筍藪に生きる　細木原青起
戦ふ国の青田青し走る雲影　同
撃ちてしやまむこころ甕に水餅あり　細谷不句
滑空士の心構少年ら向ふより風ふき草地　同
木が芽ばえ戦陣にあるこころ帽子かむる児　同

護りは固い空に月がある晩くまでべんきよう　松尾敦之
配給の豆でせつぶんむかしからある桝　同
管制の微かな灯があかんぼの上、涼しくてゐる　同
息をつめて振りむかぬ思ひ山茶花咲く　吉川金次
巨波の遙か太平洋だ鯛　米倉勇美
ああ英霊親臨の蒼穹とみ民と　同
野積の麦藁の塚あたりあまりに緑　渡部嫁ケ君

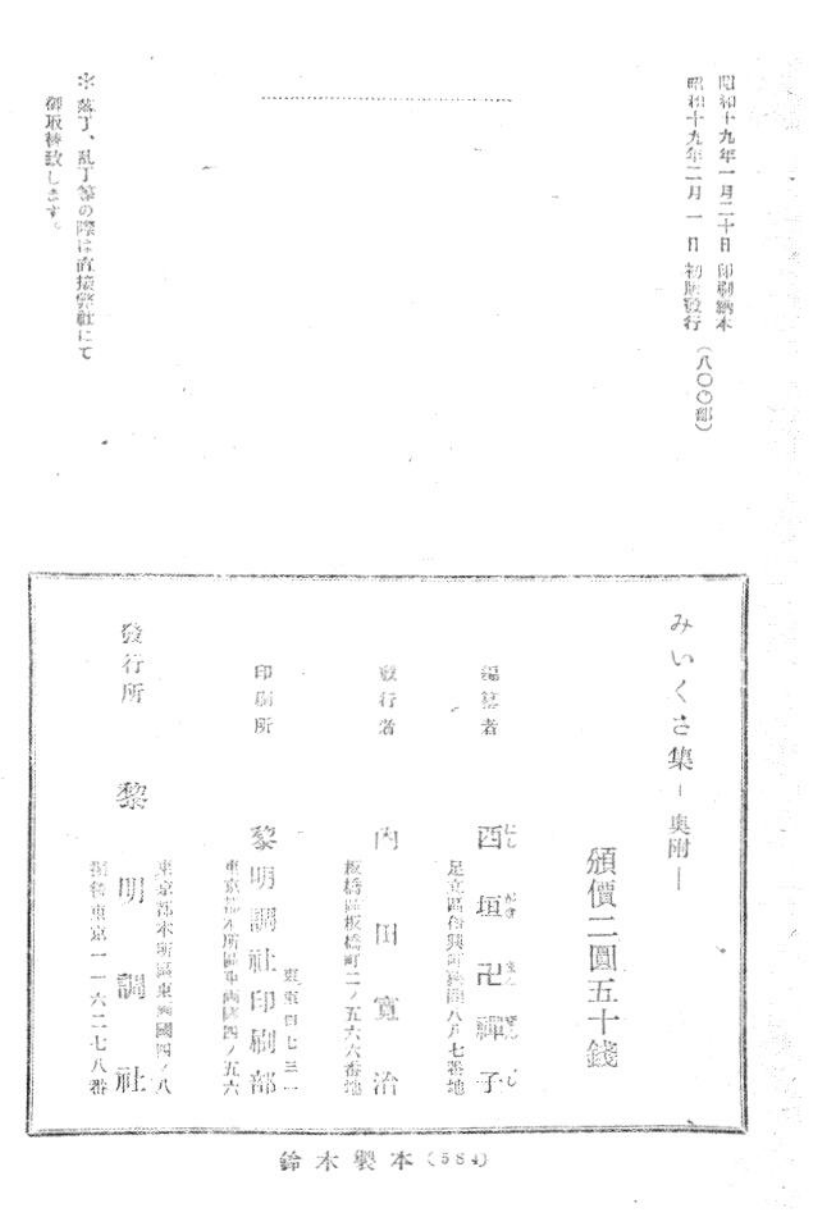
昭和十九年一月二十日　印刷納本
昭和十九年二月一日　初版發行（八〇〇部）

※落丁、乱丁等の際は直接發行社にて御取替致します。

みいくさ集 ― 奥附 ―

頒價二圓五十錢

編輯者　西垣卍禪子　足立區伊興町篠田八戸七番地
發行者　内田寛治　板橋區板橋町二ノ五六六番地
印刷所　黎明調社印刷部　東京都本所區東兩國四ノ五六　東京四七三一
發行所　黎明調社　東京都本所區東兩國四ノ八　振替東京一一六二七八番

鈴木製本（584）

『みいくさ集』（昭和 19）奥付

改造社の『俳句研究』が昭和17年10月号と18年10月号で特集した「大東亜戦争俳句集」に収録された作品は、すべて戦線俳句ばかりであった。『層雲』や『海紅』など自由律作品も収められているが、この『新俳句　みいくさ集』は殆どがいわゆる銃後俳句である。この時期の庶民の感情をうかがうには適した合同句集ともいえる。もし、最初に書いたような私の推測が当たってい

たとすれば、そのあたりが、当局との折り合いが付かなかった原因とも考えられようか。

なお、後で気が付いたことだが、本書の発行者内田寛治は、「12　萩原蘿月と内田南艸、まつもとかずや」で触れる内田南艸の本名である。「多羅葉樹下」の主宰者で、蘿月のパトロンである。合同句集なら発行者名は、代表という肩書が入るが、本書は内田の個人名である。何らかの理由で公的な刊行に至らずに、内田の個人的出資によって出版に漕ぎつけたという可能性もある。そう考えると少部数刊行の謎も解ける。

7 改造社『俳句研究』における自由律俳句

俳句総合誌『俳句研究』と俳壇ジャーナリズムの誕生

拙著『戦争俳句と俳人たち』（二〇一四・トランスビュー）を書くための資料として、昭和9年3月に創刊され昭和19年7月号まで刊行された改造社の『俳句研究』は、もっとも基本となる資料であった。結社内で終始することの多い俳句の世界で、伝統派、新興派、自由律派それぞれが結社を越えて寄稿できる俳句総合誌の登場は、いわば俳壇ジャーナリズムの誕生を意味した。この『俳句研究』が存在しなければ、新興俳句論議も戦争俳句論議もさほどに大きな問題にはならなかった、と私は考えている。

『俳諧大歳時記』や『俳句講座』正続、『俳句作法講座』で成功を見た改造社は、総合俳句雑誌が利益につながることを確証していたと思われる。論議が白熱すれば雑誌への関心が高まる。しかし、『高浜虚子全集』全十二巻（昭和10）や『現代自選俳句叢書』（昭和12）全四冊はあるが、個人の句集や俳論集はほとんど出していない。利益を上げることが可能であれば当然刊行したはずである。その点は講談社や中央公論社、岩波書店も同様で、大手出版社にとって俳句の位置は、歳時記などは儲かるが、句集や俳句論は売れない。その程度のものであった。現在もその状況は変わっていないだろう。

それはともかくとして、『俳句研究』を見ていくことで、昭和戦前の俳句界の動向をある程度詳しく追うことが出来る。その『俳句研究』を昭和9年、10年、16年分に欠があるが、かなり集めることが出来た。基本的に結社を越えた総合俳句雑誌として登場したので、自由律作品や自由律俳人による評論も多数掲載されている。ただ、自由律作品の密度は戦時体制の強化に伴い徐々に薄くなっていき、太平洋戦争が始まる昭和16年以降は、皆無ではないが極めて少なくなってしまう。俳壇における自由律作品自体の占める率の低下なのか、『俳句研究』編集部の意向なのか判然としない面もあるが、何がしかの俳句界の反映ではあろう。

秋桜子による自由律批判

そこで、『俳句研究』掲載の自由律作品を時間に沿って追ってみたいと思う。最初に昭和9年12月号（通巻十号）に載った水原秋桜子の評論「表現の型」を取り上げたい。近代の俳人の中、著書の多さにおいて秋桜子と荻原井泉水は双璧であり、持論を活字によって普及していこうとした二巨頭といって間違いないと思う。秋桜子の「表現の型」は、井泉水が『俳句研究』創刊号からの連載「自由律俳句への道」で展開した定型俳句への批判に対する強烈な反批判である。戦前戦中の秋桜子はなかなか戦闘的な論客で、批判するにあ

『俳句研究』昭和９年12月号
第一巻十号（昭和９年11月）

たっても、感情的になることなく冷静であり、いわば喧嘩上手であった。「表現の型」でも、まず井泉水が現代の定型派俳句に果たしてどの程度目を通して批判しているのかと左のように書く。

定型派を喰はず嫌ひと名付ける井泉水氏は、果たして自身現代の定型俳句に眼を通して居られるのであらうか？

若し現代の定型俳句に眼を通して居られるものなら、氏の所論のうちにそれが引用されるべきである。常識から言つても定型俳人を説破せんとする際にはその作品が例示されなければならない。しかるに氏が定型俳句を否定される文章のなかに、現代定型俳句の作例が引用されたのを私は殆ど見たことがない。

これは自説の普及に懸命かつ多忙な井泉水の最大のウイークポイントを衝いている。その上で井泉水が批判する、定型派の型（表現の型）にはまりやすい原因を旧派の作品を例にまず自ら示す。つまり「第一音節をやで終わらせ、第三音節を名詞で止める型」と「第二音節をやで切り、第三音節に名詞を置く型」の二傾向で、これの無反省な使用が「最も大切な作者の感情を消滅せしめ」ていたと指摘する。その作例にあげたのは、

御社や庭火に遠き浮寝鳥　　子規

涼しさや寺へ寝に来る村の者　花笠
焼印の宿屋の下駄や春の雨　秋竹
疲寝のあくるあしたや春の雨　格堂

秋桜子が俳句を始めた大正8年ころでも、

山吹や薺につきたる御講中　鬼城
枯蓮や水にきらめく時雨星　泊雲

などといったような作品が多く、それらを初心者がまねる傾向が横行したとしている。そうした傾向への反省の上に、秋桜子率いる『馬酔木』同人たちによる、「窮屈な型」の存在しない「全く自由自在に作者の感情が現はされ」た作品二十五句をあげる。その例示された内の十句を上げてみよう。

ひたすらに窓の雪なり朝日には　波郷
からたちの花より白き月出づる　かけい
降る雪が川のなかにもふり昏れぬ　窓秋
梅雨の日の烈しくさせば罌粟は燃ゆ　悌二郎
稲架の上に月の筑波のいとちいさ　鳥頭子

蛙なく夜のあいさつを交わし去る　春一
ゆく鴨のあまたならねば眼にあかぬ　楸邨
晝も夜も蛙をきゝぬ夜は近く　星丘
短夜の扉は雲海にひらかれぬ　辰之助
あゆみゐし若人淵に泳ぎいづ　柳芽

秋桜子は、「これを型によつて作られた前記の諸例と照応するとき、その変化のいちじるしきに驚かぬ人はないであらう」と自信を示す。井泉水はこうした発展した現在の定型俳句を見ていないと批判しているのだ。さらに、井泉水が定型俳句を型にはまっていると批判する、それと同じ表現の類型化が自由律作品にも多く見られ、ことに『層雲』掲載句における「で」で止めた作品は「枚挙に遑もないほど多い」と指摘する。左のような句だ。

もう湖明りも暮れた牛小屋の牛で　青蓋人
稲が穂にでた親の俥へのつかつた子で　乙羊
くちなしの花嗅いでやめない看護婦さんで　多ゝ桜
夕日の海を遠くに山の氷店の旗で　蜻郎
炎暑、直線の重圧に耐へてゐる架橋作業で　牽牛花
鳩、いそいそと務めにでていく私で　丘蘿草

かりがね、宿舎割のきまつた兵隊さんで　飛南車

さらに「で」を二つ重ねる型もあるとして、

碧さきはまつて空は真昼で満開のお花畑で　今日詩
発車には間がある運転手と車掌でなきつく蝉で　古靴
ともすれば外づれる軀臍でみんな裸で　星城子

そのような例をあげた上で、次のように結論づける。

自由律俳句の表現は、あらゆる場合によつて異なるべき筈である。若しその表現に型が生じたときには、自由律俳句の主張が裏切られたことになるのだが、私の瞥見したところによれば、自由律俳句にも表現の型を指摘することが出来る。多数の作者の集まるところ、これはやむを得ぬことで、私にも或る点までわかるのであるが、とにかく、自由律俳句の威信を傷けること大である。井泉水氏は如何にしてこの危機を救われるであらうか?

この秋桜子の批判はいわゆる喧嘩論法で、最初に相手の一番痛いところを衝いたものである。逆に秋桜子自身がはっとするような新鮮味に溢れた作品を、同じ『層雲』掲載作品から抽出して賞讃する

ことも出来る筈である。
ただし、秋桜子の自由律俳句批判は、今日の目から見ても自由律俳句の陥りやすい本質的な弱点を見ぬいていると私は思う。自由律俳句には、真に個性的な表現を生み出す可能性の高さと裏腹に、定型でないが故に表面的な模倣者を多数輩出してしまう危険が、定型俳句以上にあるのだ。

『俳句研究』第一巻より

ここでは、総合俳句雑誌として登場した『俳句研究』創刊当時における自由律作品を紹介したい。結社誌に発表するのと違って、『俳句研究』への寄稿は、編集者の意向が反映されると同時に、原稿料が支払われる。作者の意識も自ずから違っていた筈である。そこに、秋桜子が批判したような類型化を見ることが出来るであろうか。

創刊号（昭和9年3月）

黒いまるい　　中塚一碧楼

さゞなみ寒き船へ呼ぶこゑのとゞき
鶏は尾つぽのからださみしい斑雪を歩くよ
家々からだいぶ離れた空地で枯草を浸しゐる水
寒に入る赤ちやけたカーテンを垂れ一家族
黒いまるい炭団を数へてる土は凍てゝ

霜　　風間直得

星々につれて上欠月（ウワガケサエ）ぎ、霜の窓灯（ドホノ）し
空をのみ澄ミ、はたて穂霜の廃園（コウハイ）に煉瓦家（アル）
伊吹麓（ネ）、靡く靄にぞ言へバ、雪の降りつゝ答（ト）

雀を詠ふ　　荻原井泉水

朝の雀の、遠山には雪の来てゐる声
雀二羽で鳴く三羽で鳴くひとりで鳴く
雀、寒くなつた顔を見せるしつぽを見せる
朝はさらさらとたべて雀のこゑ
雀地におりるとけふの日が木のうへ

四月号（第一巻第二号・昭和9年4月）

B氏の顔　　中塚一碧楼

雪白い雪を掃きおくれた家のまへ
雪ふる中にてあひし友の顔よ唇よ
手套の大きな両手して逐はれ来た男

冬夜のトーキーこどもはからだ小さくて見てゐる

多摩川原の早春　栗林一石路
けふから砂利を掘らせない磧となつてだまつてる
深い浅い陽がさして誰もゐない掘跡ばかり
土手にこんなこまかい花がもう咲いて人の声もしない
川かみへ風吹きぬける遠山の雪

都市の空を詠ふ　小澤武二
落葉の朽ちきれない土で冬が毎日晴れてゐる
寒い風が地下鉄工事の停つてゐる機械
ビルヂングの横顔へ山並の夕焼けてゐる線
ビルヂングが夜空へうつそり寒い路でめいめいに別れた

旅ごころ　鹽谷鵜平
大垣を西へわら塚わら乳穂、旅ごころになる
伊吹のスキー場がまともに車窓猛者たち
としより居眠り馴れて日向たのゐねむり異状なかろ

こんなにほこり冬帽子爪弾くなりほこり

九月号（第一巻第七号・昭和9年9月）

値の下る繭　　横山林二

黙りあふ夫婦であつてなんにもならぬ蠶が匍つてゐる夜だ
どうしやうもなく今年も蠶育てて桑の葉つぱがでかくなつた
どんどん下がる値の深夜の繭の山
幼い思出が桑の実盗んで胃をみたすよりほかない私だつた

政変とニュース　　栗林一石路

政府が替るといふ朝のじりじり太陽が出てくる
みんな土掘る背をまげて街のこれが政変の日か
政府が替る炎天のビルヂングが動かうともしない
政変でもなんでもがつがつ輪転機が貪り喰つてる

満蒙情景　　木下笑風

雨ぬれ窓辺　葉々陽強さの　鬼あざみ花
頬やけ　馬車に　黄塵（ホコリ）の中ゆ　昨日　今日

サボテン窓辺　見果てじ夢の　アカシヤ葉ゆれて
百合揺るる　窓辺に　楡の木深か　影さす

『俳句研究』で一頁をあてがわれるクラスの自由律俳人の作品には、個人的な表現法の型はあるが、全体としての類型化は見られないと言えるのではないだろうか。

8　昭和13年の『改造』『俳句研究』俳句欄

俳句欄常設という画期

昭和9年の改造社による『俳句研究』創刊が戦前期の俳壇に与えた影響は大きかった。結社内で終始していた俳壇にジャーナリズムの力が加わったのである。大正末から昭和初年にかけての改造社、春陽堂、新潮社、平凡社などによる円本ブームは、日本文学を一気に大衆化させたのだが、それ以前の文学は同人誌やごく少部数刊行の作品集に頼っていたといっても過言ではない。その中で『中央公論』『改造』という文化総合誌の文芸欄（一号につき三～四篇）に作品が掲載されることが狭き文壇への登竜門であったこともよく知られている。ただ、俳句や短歌はその範疇には入っていなかった。『改造』に俳句・短歌欄が常設されるようになるのは、昭和13年からである。証明することは出来ないが、改造社による『短歌研究』『俳句研究』の創刊が与えた影響の一つであろう。当時の『改造』は日中戦争の泥沼化と欧州戦乱の予兆を背景に、頁は最大期を迎えている。

戦前この期の『改造』は特別珍しい雑誌ではないが、所持している号のみになるが、掲載された俳人とタイトルを上げておく。表記していないものはみな一頁でおおよそ七句収録である。

昭和13年4月号（二十周年記念号）
青木月斗　山野春色
中塚一碧楼　水見ゆる
昭和14年1月号
高浜虚子　焚火
渡辺水巴　冬の雲
昭和14年2月
飯田蛇笏　人寰
川端茅舎　スキーの子
昭和14年7月号
大谷句佛　晩春初夏（二頁）
昭和14年8月号
富安風生　山路行く（二頁）
長谷川素逝　国たゝかふ（二頁）
昭和14年9月号
飯田蛇笏　聖地桃果
大森桐明　机坐の夜
昭和14年10月号

大場白水郎　鉄西工場地帯（二頁）
長谷川かな女　埼玉の野面（二頁）
昭和14年12月号
久保田万太郎　日記より（二頁）
西島麦南　展墓羇旅（二頁）
昭和15年2月
石橋辰之助　岩
昭和15年5月
栗林一石路　踏切春景
昭和15年7月号
中村草田男　白菱形（二頁）
昭和15年10月号
短歌欄はあるが俳句欄なし

昭和13年から15年まで三十六冊全部を見ていないのではっきりとは言えないが、やはり定型派が主で、右にあげたうち自由律は中塚一碧楼と栗林一石路の二人だけである。取りあえず、その作品を見てみよう。

水見ゆる　中塚一碧楼

冬の日ゆふべに素足のわらんべを愛し
冬の夜白い装ひの某國スパイのひとり麗人
炭舟二つおなじかたちおなじ大いさに打つ浪
天から来たやう雪國から雉子の鳥届きたり
その雪國の雉子の鳥の雪ふる山々すわり
けふ蓬は摘まず水見ゆる川べへ出でて
二人来て二人井の水を飲む春空くもり

踏切春景　栗林一石路

春の花屋も遮断機に堰かれ犇とゐる
遮断機はね上ると春の雪もあらず人崩る
春の人屑へがくりと遮断機が鰓をあけた
眼に三等車二等車詰襟端然と通す
人に旗振る誇りに生きて老ひ初めぬ

自由律俳句といっても、「序にかえて」で触れたように、西洋詩の影響を受けた一碧楼の作風と、一石路のような社会性を帯びたものと、一様でないことは右の作品からも分かる。『改造』編集部は

『改造』第二十巻四号
中塚一碧楼「水見ゆる」（昭和 13 年 4 月）

俳壇全体に対し、比較的公平に対応していたといえるかもしれない。

なお、『改造』のライバル誌『中央公論』には確か俳句・短歌欄の常設はなかったと記憶するのだが、手元にある昭和12年1月号に、松根東洋城「冬霞」十句、小沢碧童「近情句集」十句、日野草城「童貞」十句、13年2月号には川端茅舎と中塚一碧楼が各一頁掲載されている。これも一碧楼の作品を紹介してみよう。

焚火

霙るゝ多摩川の河原のひろさ霙ふりやまず
寒夜青年の装ひ楽器は箱にをさめ
つかつか霜柱へ踏み入つて垣へつきあたる
麗人くびほそし寒夜の雑沓へ流るゝ
寒夜日々晴れつゞき家はうれしく
マントの襟を立てゝゐるのみ彼を逐はない
父子焚火がすんでしまつた地のうへ

これを読むと、一碧楼の昭和初期の作品、

水母が浮いては浮いては出舟出てゆく

すうたらぴいたら少年ピッコロを吹く春の地しめり

などのような斬新さは薄れているが、単純な自由律俳人でないことも分かる。いずれにせよ、昭和13年は戦前の俳句界に於いて、ジャーナリズム的に画期的な年度だったのではないだろうか。

『俳句研究』昭和13年の自由律作品

それでは、昭和13年の『俳句研究』では、どんな自由律俳句が掲載されていただろうか。手元にあるのは、1月、2月、4月、5月、8月、9月、10月、11月号の八冊だ。全体で言うとさすがに多いので、巻頭に掲載された「近詠」のみを対象としよう（途中から「近詠」欄は消えるので、巻頭の俳句欄から引用）。

1月号
阿波の寺　荻原井泉水（六頁）
銃後の冬　安齋櫻磈子（三頁）
2月号
なし
4月号
野に遊ぶ　中塚一碧楼（三頁）

冬去春来　種田山頭火（四頁）
土佐の寺寺　荻原井泉水（六頁）
5月号
なし
8月号（近詠欄なし）
伊予の寺寺　荻原井泉水（六頁）
9月号（草城、京三、白泉による俳句「麦と兵隊」掲載号）
なし
10月号
なし
11月号（「支那事変三句」特集号）
讃岐の寺寺　荻原井泉水（八頁）
高秋山居譜　安齋櫻磈子（三頁）

井泉水は旅中句の連載である。それからすれば自由律作品の掲載は多いとは言えないだろう。安齋が二回も登場している。『現代俳句大事典』（三省堂）によれば、安齋は、明治36年から句作を始めた新傾向派の俳人で、後に一碧楼の『海紅』を全力で援助した。『俳句研究』11月号掲載の「高秋山居譜」三十句から最初の五句を紹介してみる。

ほうほう秋の風山々は白雲の笠をいたゞき
独居組むに二本の腕あり山に満月あり
夜情ちよつぴりとつまむ白葡萄累々の実から
わが永遠の山住山の面尾花靡くばかり
夜もこゝろ安くゆくゆくの蟲の声を家路を

この時の安齋の年齢六十九歳を考えると、いまだ瑞々しい感覚を失っていないように思う。自由律ではないが、同じ号の作品欄（各一頁掲載）に十八歳だった三橋敏雄の「地の鹽」八句が掲載されている。俳句同人誌『風』に戦火想望俳句「戦争」が掲載され、山口誓子に激賞されたのとほぼ同時期だ。全句を紹介しよう。

議事堂へ坂のぼる街のそらをのぼる
そらの晝議事堂の扉みな閉（しま）り
議事堂は尖りその苑に犬轉げ
天昏れて議事堂をあふぐ貌遺れり
議事堂の地鳴りに電車ああ揺れ去る
　深夜

赤電車めぐれり内濠に沿ひ馳り
赤電車安全燈を地に過れり
車掌とわれねぶし赤電車に馳る

安齋は自由律で表現も古臭くないが、テーマそのものは花鳥諷詠の内にある。三橋の句には自由律の表現法の影響も感じられるが、題材やテーマは社会性を帯びている。
社会性を前面に出すプロレタリア俳句の一石路の作品はどうか。『俳句研究』1月号「作品」欄の「落葉と狂人」十句は次のような作品だ。前半五句をあげる。

ゐなかも値上げ切手に年迫る消印が捺されてきた
うすつぺらな紙にインクも生活の荒れようをにじみ
豊年蟲どころか當方は畦豆の葉も喰はれた年
気狂ひとなつて不作のおのが田を嗤つてゐる
カラゲ蟲に荒れて田圃が笑つてけつかる気狂ひに

前掲の「踏切春景」もだが、ストレートな表現で、詩としての美しさなどは考慮の外というか美意識の違いとも言えるのか。これでは、想像を膨らませたり、変調によってリズム感を出す自由律の可能性を逆に減退させているような気もする。反体制的な「力」、批判力としての自由律の追求であったと理解することも出来るが、やはり「美」を無視した詩はもはや詩ではないような気もする。ともかくも当たり前だが自由律も一様ではなかった。

昭和15年の大政翼賛会結成後には、「自由律」という言葉自体の規制が加えられていくのだ。

9 終戦直後の『暖流』と自由律俳句の理念

『暖流』の復刊

瀧春一が主宰した俳句誌『暖流』の昭和21年5月号から23年6月号まで、二十一冊が手元にある。だいぶ以前に入手したもので、少し欠けているがほぼ揃っている。ここ数年、戦争中の雑誌ばかり追いかけていたので、見逃していたが、改めて見ていくと、この時期ならではの興味深い記事が多いのに気が付いた。桑原武夫の「第二芸術論」が日本の伝統文学界に大きな波紋を呼んでいた頃で、俳人たちも俳句とは何かという大きなテーマに直面していたからであろう。

見ていくと、昭和22年10月号までは毎号水原秋桜子が喜雨亭を冠した随筆を表紙裏に連載している。21年5月号が「喜雨亭雑記」の5だが、神奈川近代文学館の蔵書を見ると、昭和21年1月号が2号とある。普通に考えて昭和20年12月号の復刊から、瀧の師匠である秋桜子に敬意を表した形を取っているわけだ。

現代俳句史を見ると、昭和22年に瀧は無季俳句容認を発表し、秋桜子主宰の『馬酔木』と袂を分かつとある。昭和22年10月号で、瀧は「暖流と私の立場」を掲載している。

これを読むと、拙著『戦争俳句と俳人たち』の「はじめに」でも書いたけれども、俳句界における師弟関係の難しさ、師から独立していく時の軋轢の強さがひしひしと伝わってくる。つまり、瀧の『暖流』は、戦前、『馬酔木』の子雑誌として、『馬酔木』に活躍すべき作者の養成所に甘んじてきた。『暖流』は昭和19年5・6月合併号で終刊しているが、この文章を読むと、それも国の雑誌整理から『馬酔木』を守るために終刊したように読める。用紙の割り当てや、雑誌統合措置に対する対応ということだろうか。しかし、戦後は独立した一流誌を目指して復刊、それも実現出来るところまで来た。純粋詩としての俳句を追求すべく「無季俳句の容認」と「十七音基準律」を今後はしっかりと標榜していくと宣言している。この俳句領域の拡大は、俳句が現代詩として生きるためだとも書いている。秋桜子からの独立を決意したのだ。当然、秋桜子の連載はその十月号の「熊蟬」という文章が最後になる。熊蟬とみんみん蟬の鳴き声の違いを書いたもので、読みようによっては皮肉に取れる。

『暖流』の昭和21年5月号、6月号からは内容的インパクトは感じられないが、同年7・8月合併号で、有馬登良夫（ありまとらお）が「俳句本質の研究——季に就て」、翌年1月号で「一般詩としての俳句の対象に関する諸問題」を執筆、さらに4月号から高屋窓秋（たかやそうしゅう）が作品「月と冬木」を発表して登場し始めると、誌面は明らかに活性を帯びてくる。『現代俳句の世界16　富澤赤黄男・高屋窓秋・渡邊白泉』収録の年譜によれば、窓秋は昭和21年、南満胡盧島より佐世保に上陸帰国し、『暖流』を応援するとあるが、誌面に登場するのはこの22年4月号からだ。本稿の目的である自由律俳句とは直接関係ないが、窓秋の寄稿を左にあげておく。

昭和22年4月号　月と冬木　七句

同　俳壇談義4　瀧春一・有馬登良夫・高屋窓秋

同　5月号　春と雪　七句
同　最短詩文学としての俳句の将来性　瀧・有馬・高屋
同　6月号　園にて　六句
同　俳壇談義6　瀧・有馬・高屋
同　秀句遍歴（作品鑑賞）
同　7月号　孤児　五句
同　自由律俳句の理念に就いて——栗林一石路氏に聞く　栗林一石路・瀧・有馬・高屋
同　秀句遍歴
同　8月号　俳壇談義8　瀧・有馬・高屋
同　9月号　偶感
同　11月号　ともしび

『暖流』第二巻七号
（昭和22年7月）

ここまでである。なかでも「偶感」と「ともしび」は、ともに短いエッセイだが、窓秋の俳句観の揺らぎが感じられる。「偶感」は石田波郷の句境を自分と比べ、「ともしび」では細谷源二を称え、楸邨や草田男の句には「心の灯が灯っていないと」書いている。
窓秋は年譜によれば、22年には山口誓子主宰の『天狼』に参加するとあるが、『天狼』の創刊は昭和23年1月だから、前年から創刊準備にもかかわっていたのだろう。手元にある『天狼』昭和23年2月、創刊2号には「木の家」五句を寄稿している。『暖流』昭和22年7月に掲載の「孤児」と「木の家」を二句づつ紹介しておこう。

「孤児」　あの家に星、この家に星、孤児咳す
　　　　　孤児泣けば地上は星のふるところ

「木の家」　木の家に恋のつばさよ雲とゐて
　　　　　　木の家に冬がくるよな小鳥ども

翌月第3号の『天狼』には窓秋の作品はない。右の作品からも迷いを感じるし、『高屋窓秋俳句集成』の年譜を見ても、昭和23年から25年は記載がなく、昭和26年のところに以後昭和45年まで作品活動中止とある。

論客が集う雑誌

当時の『暖流』でもう一点注目されるのは、昭和22年11月号に富澤赤黄男(とみざわかきお)の「旱星」五句が掲載され、翌昭和23年2月号には藤田源五郎の「『暖流』前進のための意見書」が、3月号には同じ藤田の「富澤赤黄男論」という十三頁に及ぶ評論が掲載されていることだ。この評論を書いて藤田は短い生涯を

閉じる。同じ病にあった高柳重信は藤田についてふれながら「偽前衛派」「大宮伯爵の俳句即生活」「続偽前衛派」、そして没後の「藤田源五郎への手紙」を「太陽系」「弔旗」等に書いている。この時期に『暖流』には優れた論客が参加して、内容の活性化を果たしていることは見過ごせない。

その中に、今回取り上げる窓秋も参加している昭和22年7月号の座談会「自由律俳句の理念に就いて——栗林一石路氏に聴く」がある。テーマは、「自由律なる言葉の意義」「自由律俳句の俳句性」「自由律俳句と音律」「自由律俳句の歴史」の四点である。最初に瀧が座談会の目的を語っている。

今やわれわれの俳句も、俳壇の内外から声が起こっているように大きな革新期に直面したと思うのであります。この時において、われわれは、伝統派、新興派、自由律派を問わず、その進歩分子が従来の行きがかりを捨て、将来の俳句の確立のために結集し、その作品はもちろん、理論的方面においても、真剣なる努力を払わなければならないと思うのであります。

その上で定型作家と自由律作家の「相互の理解」のために自由律俳句の知識の必要に迫られており、これまであまりに無関心であったことを反省し、基本的なところから栗林氏のお話をうかがいたいということであった。十四頁にわたる長い記事である。一石路の発言の主要部分を左に抜き出しておく。

自由律なる言葉の意義

○風のながれ、木の葉のゆらぎ、といったものにも、よく見ると、それぞれの個性的な動きがあって、それがやはり、一つのリズム、を持っている。そのリズムに表現を、つまり、言葉の調子を合わせてゆきたい。すなわち、そのリズムを、型によって押えることなくありのままに表わしたい。つまり自由に表わしたい。自由な音律で俳句を詠いたい。という一つの欲求の表われが自由律俳句になって行ったので、自由と云っても、ただ方図もなく詠われるということではないのです。散文のように、説明の便宜のために、言葉を自由に駆使するという意味ではありません。自然や、自分の生活感情の自らなるリズム、それに従わなければならない。その意味ではけして「自由」ではないのです。

○リズムが、対象と、自分と、二元的にあるというようにとられたかも知れませんが、そうではなく、対象のリズムを掴んだということは、作者の主観と、対象とが、統一されたものであって、如何なるリズムも、結局は作者の感情のながれであることは間違いないのです。

○自由律においては、型が出来たとしても、音律的に固定したものではなく、ただ、言葉の組み立て方にあると思います。かつ、それは、非常に沢山の型になるので、それが、内容をおさえつけてしまうようなことは、ない筈だと思います。現在の自由律俳句に、型が出来ていると云われるのは、例えば『層雲』には層雲らしい型があるというのは、グループ的に、詠う態度がきまってしまって、内容が一定の方向に限られるような、行きづまりがあるからではないかと思います。ともかく、自由律にも、自然に型が出来てゆくのは確かだと思います。そういう意味で定型の拡充でもあり、同時に、新しい型の発見だとも云えましょう。

自由律俳句の俳句性

○昭和7年だったと思いますが当時の左翼文学の人々から、俳句と短歌は封建的な詩形式であるから、一般詩へ解消すべきであると主張されたことがあります。ちょうどそれは、今日文学批評家たちから、俳句が批判されているのと同じことです。（略）その時の反対の理由として、いわゆる三点の理論なるものを以てこれに応酬した訳です。と云うのは、一般に、人間の文学的表現には、どうしてもこれだけは云わねばならぬというギリギリの要素がある。例えば、新聞記事でも、「イツ、ドコデ、ドウシタ」これだけは書かねばなろう（ママ）としても一つの新聞記事にはならない。それと同じように、詩にも、これより単純には云えないという最極限の表現要素があると思うのです。そこで俳句を見ると少なくとも、三つの観念がなければ独立の詩形式として成立しない。例えて云えば、丁度三脚のように三つの脚が（観念が）一つに統一されなければ調和と、安定のある詩形式にならない。（略）ただ、その一脚毎に、五・七・五というように定った音律が与えられているが、その骨格は、内容である二つの観念から成り立っているので、その観念が組立てられていれば、それに与える言葉は必ずしも五・七・五という定った形でなくとも、つまり自由な言葉が与えられても、俳句になる。そこに定型俳句と自由律俳句とが、本質的に同じ俳句であるという特殊性が認められることになるのではないか。つまり、俳句も詩には違いないが、詩のうちの最も単純な表現形式を持つものとして、一つのジャンルが要求出来るのではないか。

自由律俳句と音律

○自由律も、やはり伝統の五音なり七音なりをふまえて作られて行きました。だんだん進むに従って、内容のリズム、ということが云われるようになって来ましたが、それでもやはり、日本語の持っている調子というものは、出来るだけいかさなければならないということは、常に意識されて来たところです。しかし、それは五・七・五という定った音だけでなく、新しい言葉の調子、音律を見出してゆくようになったのです。

○定型俳句は俳句形式の規範として、また、その中に含まれている合理的なる法則性というものは、自由律俳句の学ばなければならないものだと思います。更に云えば、自由律俳句も、内容の上からは遠心的に定型俳句から外へ拡がるが、表現上からは常に同時に求心性を以て定型俳句の規範に則るという心掛が大事だと思っています。

○自分の感情は自分が感じたのだから嘘でないといったような、非常に主我的なものに甘えて、俳句が詩として、社会的に他に伝達するものであるということを忘れた結果から（注・自由律俳句が子供っぽいものに印象づけられている）、多分に来ていると思います。また、創作方法としても、今申上げた、俳句伝統の合法則性、つまり自由律の、自由ということを踏み違えて、定型俳句を全く否定してしまったという態度からも来ていると思います。

伝統派が自由律に学ぶという企画だったが、むしろ自由律側が伝統派への理解をふかめようとしているようだ。

10 荻原井泉水が継承した芭蕉の精神（上）

正統性の根拠としての芭蕉俳諧

結社を主宰する俳人たちは、その多くが正統性の根拠として芭蕉俳諧の継承をあげる。継承といっても、歪んでしまった俳諧を芭蕉の精神に戻す、帰るべきは芭蕉俳諧というのから、俳句はつねに時代の要請によって変化するべきもので、芭蕉精神を発展継承する、というのまで様々である。荻原井泉水はもちろん後者に属するが、ではどのような芭蕉観を持っていたのだろうか。その他の同時代を生きた、広い意味での伝統派の俳人の芭蕉理解とどこか違うものがあるのだろうか。その点を考えてみたい。

井泉水の出版活動は極めて旺盛で、気を付けて探していると次から次に本が出て来て、その全容を把握するのが困難なほどである。全集もないし、完全な書誌が出来ているのかも不明だ（小山貴子著『自由律俳句誌『層雲』百年に関する史的研究』〈平成25・自費出版〉所収の年譜がかなり詳しい）。

『俳句研究』（俳句研究社）昭和51年11月号は「特集・荻原井泉水追悼」で、大竹大三による「荻原井泉水主要著書解題」が収録されている。「俳句作品」「俳論・俳話」「古典研究・芭蕉・一茶関係」「随筆・紀行」「書画」「翻訳」「編纂」に分類し、詳細に解説している。今回問題となる分野である「古典研究・

芭蕉・一茶関係」では、俳諧研究の著作を多数紹介しているが、対象は芭蕉と一茶のみで蕪村についての井泉水の考えを取り上げていないのは不思議である。

昭和9年12月に千倉書房から刊行された『芭蕉・蕪村・子規』という著書があり、数ある井泉水の芭蕉関連著書の中でも、井泉水の唱えた自由律俳句の俳句史上に於ける意味を、自身でどう考えていたかをよく示した著作に私には思えるが、この本は大竹の解説では上げられていない。千倉書房からは他に、『俳談』(昭和10)、『俳句教程』(昭和11)という著書も出されている。この本の巻末に収められた千倉書房の図書目録には経済関係の本が多い。同社は昭和4年創業で、現在も経済・経営関係書などを中心に刊行している。そのような出版社からなぜ井泉水の俳書が刊行されたか不思議ではあるが、廉価販売を目的に他社から出た本の版権を得て再版されたような本(赤本)ではない。

その『芭蕉・蕪村・子規』の「後記」は、つぎのように書いてしめくくられている。

芭蕉を正しく解し、蕪村を正しく解し、子規を正しく解するならば、しぜんに「自由律俳句」といふものの発生を理解し得られるべきものである。とかく世間には、芭蕉を尊崇することは知つて、芭蕉に捉はれ、蕪村子規を師敬することは知つて、蕪村子規の模倣以外に出られない人が多いのである。芭蕉自身が云つてゐる言葉に、——「古人の跡を求めずして、古人の求めたるところを求めよ」と、此言葉の真実を体すべしである。

また、前の方ではこうも述べている。

芭蕉が自然帰入の精神を精神とし、蕪村が詩的表現の技法を技法とし、且つ子規が文学理論を理論とするものであると共に、更にもう一段と進んで、今日の時代と私達の生活といふものをしつかりと文学意識の中に取入れたところから産まれてくるところのものでなくてはならない。これを、私は、「自由律俳句」と唱へてゐる。

よく人は、俳句の内容と俳句の形式といふことをいふ。だが、俳句の内容よりも俳句のエスプリといふものを捜らなくてはならず、俳句の形式よりも俳句のリズムといふものを解しなくてはならない。私が思ふのに、俳句のエスプリを生かす為には、在来の俳句形式ではいけない。もつと自由なるリズムを用ひなくてはならない。さうして、其リズムに於て俳句的なるものがある以上、それは形式的に見て、いかに在来の俳句とは違つて見えようとも、やはりりつぱな俳句として成立する。いや、それこそ新時代の俳句である。

井泉水の目指した理想は理解できるが、高浜虚子の唱えた、季語の使用と五七五音の定型による花鳥諷詠を俳句形式の極北とすれば、井泉水の考えは対局に位置する。虚子が主導する俳句が、季語を入れ、自然をテーマに、五七五音で「や」「かな」「けり」などの「切れ字」を用いて詠うものですといった作句上の原則・形式を示したと同じ具合に、「今日の時代と私達の生活といふものをしつかりと文学意識に中に取入れた」「エスプリ」を作品の核にするといったことを万人が理解し、その理論で作句することが、果たして可能なのだろうか。師の作風を模倣することは出来ても、それぞれが独自の世界を構築するのはかなり難しい。

その点、俳句を学ぶものにとって、理論よりも範とすべき作品の評釈は最大の指針となるものであろう。その点で、芭蕉の俳句精神を尊重する自由律俳句の指導者が、芭蕉の作品をどのように評釈するか、伝統俳句を堅守する俳人の評釈と違うところがあるか、それは自由律の正統性を主張し、確信するには重要なことではないだろうか。

『芭蕉・蕪村・子規』には多くの芭蕉作品の評釈が収められている。それらと、芭蕉研究をライフワークとした加藤楸邨（かとうしゅうそん）の評釈と比較してみたい。そこに自由律俳人らしい独特の見解が出ているだろうか。

その前に、大正13年に刊行の井泉水俳論集『我が小さき泉より』（交蘭社）に収録された、「芭蕉の概念を排す」から左の文章を引用する。井泉水の芭蕉観が端的に示されていると思うからだ。

芭蕉を真に理解する道としては、其の俳句を研究するより外はなく、俳句を研究するには、自ら句作の道に入るより外はない。何故ならば、芭蕉の俳句は其自然観の証券であり、此の証券を読む為めには、其の特有な言葉の響きを知らなければならぬからである。自ら句作の道に入らず、芭蕉の俳句を読本読みして、其人格や主義を解したやうに考へるのは、図書館で碧巌録を読んで禅の要諦に徹したやうに考へるのと同一の浅薄に陥らざるを得まい。

井泉水と楸邨の芭蕉俳句評釈

実作の上に立った研究が求められているわけだ。『芭蕉・蕪村・子規』では、「芭蕉」「芭蕉の自然観」「芭蕉といふ人」「芭蕉俳句評釈」の各章で評釈が試みられている。中でも「芭蕉俳句評釈」は「俳諧一葉集　発句の部」から井泉水が二五〇句を選択し、四季に分けて簡単な評釈を施したものだ。『旅人芭蕉』正続（大正12～14・春秋社）など井泉水の芭蕉関連書は多いが、『芭蕉・蕪村・子規』は、それらの中で、右に引用した言葉を直接に体現したものと言える。その内のやや意表をつく面のある何句かについて、加藤楸邨の『芭蕉全句　上・下』（昭和44・50・筑摩書房）における評釈と比較してみる。

○鶯の笠おとしたる椿かな

井泉水　椿の花が落ちて来た。鶯が落としたのであらう。鶯が自分の笠にして被つてゐた其花を粗喪して落としたのであらう。との意。鶯が梅の花を笠に着るといふことは、古い歌などにも詠じてあるが、笠と見るには梅よりも椿の方が適切である。そこに目をつけた点を、作者は手柄と考へたと見える。

楸邨　元禄三年二月の作。『猿蓑』所収。「この庭に対していると、鶯のさえずりのまにまに椿の花が落ちこぼれた。昔から梅の花が鶯の『縫う』笠だと詠まれてきたが、こうして見ていると落椿こそ、鶯がおもわずとり落とした笠と眺められてくることよ」という意。

句の成立事情からみて当主百歳（著者・西島百歳を指す）に対する挨拶の心があったはずで、百歳の住いの庭前の景をよみすえ、その閑雅なさまをたたえたものと思われる。それを実景に即して椿に転じ、「笠」について「縫う」とか、「被る」あるいは「かざす」などという常識的な発想にとどまらずに一歩俳諧化して「落としたる」と興じたところに、俳諧の新しみがはっきりと認められたものであろう。

○鶯や餅に糞する縁の先

井泉水　初春の事とて縁先に餅が干してある、折から飛んで来た鶯が、その上に糞を落とした。自然に鶯なども来、又、人も恐れない清閑な情趣である。

楸邨　元禄五年、一月下旬もしくは二月初めの作。『鶴來酒』所収。「春の暖い光の中に鶯がちらちらしている。ふと気がつくと縁先に干してあった餅の上に糞をしたところだった」の意。

春光と鶯ののどけさがまことによくつかまれている。二月七日付杉風宛書簡に「日比工夫之処ニ而御座候」といっているのは、一応完成の域に達した『猿蓑』的な作風から一歩踏みだして、この句の一面にうかがわれるような「軽み」を庶幾した心のあらわれと見てよいであろう。『三冊子』には、「詩歌連俳はともに風雅なり、上三つものには余す所まで、俳はいたらずと云ふ所なし。花に鳴く鶯も、『餅に糞する縁の先』とまだ正月もをかしきこの頃を見とめ…」とある。

○手洟かむ音さへ梅のさかりかな

井泉水　百姓たちであるか、手洟をかむ、チンといふ音がきこえるさうした汚ない音も、山家にあつては面白く、梅のさかりの景色に対して更に面白い。

楸邨　貞享五年の作。『後の旅』所収。「手鼻」としている。「郷里伊賀は山家であるから、里人は手鼻をかむ。まことにむさくるしい音であるが、折しも梅の盛りのころとて、その手鼻かむ音にも田舎らしい趣が感じられてくる」という意。

手鼻かむ音などは、古い歌の観念ではとうてい生かされそうもない素材であるが、芭蕉は和歌・連歌の詠み残したところを、ひろく俳諧の領域として俳諧化してゆく。この場合もその大胆な取材の一つである。材をひろげただけではなく、それを俳諧の世界に生かして新しい美を開拓してゆくのが芭蕉の意図だったと思われる。

○あけぼのや白魚白き事一寸

井泉水　浜辺にて漁夫が白魚を揚げてゐるのを見た即興であらう。曙のほのかなる光の中に、手にとらば消えさうな白魚の、如何にも白く美しく、その長さ一寸ばかりに小さいのも殊更あわれである。一寸と句の上にまで叙したのは杜子美の詩に白魚を「天然二寸魚」と詠じた言葉を連想した為であることは勿論だが、桑名では「冬一寸春二寸」といふさうだ、してみると、此句は冬季の部に属せしむべきであらう。

楸邨　貞享元年の作。『野ざらし紀行』に所収。「浜に出て見るとまだ曙である。折から引き上げられた漁夫の網の中に白魚がまじっている。しろじろとして、見ればまだ小さくて一寸ぐらいな白魚であった」の意。

初案「雪薄し白魚白きこと一寸」の形は、杜甫の「白小」の詩（略）を心においているものと思われる。初案の句の意味は「雪が薄く浜辺に敷いていて、そこに白魚が上げられているが、まだ一寸ばかりの小さい白魚である。天然二寸の魚といわれる春の白魚に比すると、まだ冬らしい小ささであるが、その白さが印象にくっきりする」というのであろう。「雪薄し」では浜辺に限定された小世界で、白雪・白魚が相互に効果を減殺しあって印象が稀薄になってしまう。それで外的発想契機であった杜甫の詩の世界を自己の中に内面化して、「曙や」と改めたものであろうと思う。「白きこと一寸」というあたりに、佶屈の調子を存しているが、それがかえって新鮮な感じを漂わせている。

一句の解釈上で、二人に大きな違いは見られないが、井泉水の目指したものは楸邨の評釈により顕示されているように思う。次節は、『芭蕉・蕪村・子規』以外の本にも広げて比較してみたい。

11　荻原井泉水が継承した芭蕉の精神（下）

それぞれの芭蕉観

井泉水と楸邨の芭蕉俳句評釈の比較を続ける。今回は、井泉水の『芭蕉読本』（昭和13・日本評論社）から、芭蕉の破調の句を選び、両者の評釈の違いを見てみよう。

○牡丹蕊深くわけいづる蜂の名残かな

井泉水　桐葉亭を牡丹に、作者自身を蜂に譬へたので、牡丹の蕊の深い所に気持ちよくむぐり込んでゐたが、今は其処から分け出でて立去るのが、まことに名残惜しい事であるとの意。名残惜しいとは云ふものの花から花を渡るやうに、旅をしてあるく気軽さも云ひ含められてゐる。

楸邨　貞享年代の作。『野ざらし紀行』所収。「今桐葉の手厚い庇護を離れて東武へ帰ろうとするに際して、牡丹の蕊ふかくこもっていた蜂が、蕊をわけ出て飛び去ろうとするような切なる名残惜しさを感ずる」の意。句は、美しいという点ではたしかに立派に仕あがっているのであるが、そして、「牡丹蕊深く分け出づる蜂の」という口調のゆらぎも、別離の心をたゆたわせているのであるが、根柢において支えているものがやや弱いようである。

○芋洗ふ女西行ならば歌よまむ

井泉水　西行谷といふ所で、女が芋を洗つてゐた。若し、西行が爰を通つたならば、歌を詠んだことだらうといふので、その西行の心に想到した感興は取りも直さず、芭蕉自身の感興なのである。

楸邨　貞享年代の作。『野ざらし紀行』所収。「西行谷のふもとの流れで芋を洗っている女たちがいるが、これがもし西行だったら、伝説にあるように定めし歌を詠みかけたことであろうに」の意。「芋洗ふ女」と眼前のさまを打ち出して、次に自分の感懐を述べている。これは、西行ならば歌を詠んで呼びかけるであろう、さて自分は、というひかえめな感じ方である。「芋洗ふ女」と思い切った字余りにしているところは談林の調子が流れてきているようであるが、それが半面句勢をはつらつとさせているのである。

○猿を聞く人捨子に秋の風いかに

井泉水　猿の声を聞く人は断腸の思ひをすると云ふが、その人も此の捨子の声を聞いて、孰れを哀しと思ふだらうか、まして、此の捨子に折から秋の風が吹いてゐる此の惨たる事実に対して、どう感ずるだらうか、との意。

楸邨　貞享年代の作。『野ざらし紀行』所収。「猿の声のもの悲しさは、人をして腸を断たしめるというが、その猿の声を聞いて悲しむ人よ、今この捨子に心なく秋の風が吹きあたるこのさまを見て、いったいどのように感ずるか」の意。捨子を悲しむ切実な心が、古来詩人によって悲しいものとされている猿声をひきあいに出して、問いかけるかたちで発想されたのである。実感につき入って、そこからそのままうたいあげてはいないが、これをなんと聞くか問いかける趣にしたところに、現実の相に堪えがたいまでに動揺していた芭蕉のこころがうかがえるのである。

井泉水の芭蕉観を考えるのがここでの目的だが、この有名な「猿を聞く人」の句に対する楸邨の解釈を、最初の芭蕉全句評釈を試みた『芭蕉講座』の昭和18年時点と、『芭蕉全句』の昭和44年とで比較すると，自身が揺らぎを抱えていた戦争期と、確信を得ていた後年の差がうかがえて興味深い。上五「猿を聞く人」の字余りには古来詩歌の常套句として問題視していないが、自由律が内在律ともいうように内から湧き出る感興を定型にとらわれず表現するものと考えるなら、井泉水の評釈はいたって簡単だが、楸邨の詳細を極める評釈からうかがえる拘りは注意しておく意味がある。

『芭蕉講座』における評釈の最後は、当時の楸邨の心のありようをそのまま伝えていて感動的である。少し長いが引用しておく。

芭蕉は、元来純粋な思想的解決をする人ではなく、全身で感じとり、一歩々々たしかめながら進んだ人であつた。いはば、腹の蟲が納得して始めて自分で満足してゆく人であつた。この句、この文の中では、思想ははみ出してしまつてゐる。何とか思想によつて解決して置かないでは居られぬ気持に追ひ立てられてゐるのである。現代は、知性の時代といはれ、難問題にむかつても論理的に綺麗に割りきること驚くべきものがある。然し、実際、さうきちんとゆくものではないので、殊に今のやうな時代では、腹に落ちつくものだけ確めとつてゆくことが大切だと思ふ。真の知性は、全身で確め、血肉を通してゆくべきもので、俳句では、理論で割りきるだけでなく、一歩々々身にひゞかせる俳句的知性でなくては無力である。芭蕉から学ぶものは、さういふ俳句的知性である。

『芭蕉全句』でも基本的な評釈に変化はないが、左のように書いていて迷いがない。

芭蕉はこの捨子に対する気持ちを紀行本文では、『荘子』をかりて「性」という形而上のものをとり入れ、一応思想的に解決しようとしているが、その解決は生きている人間としての気持ちの上では解決されていない。そこに芸術と人間の生き方との相剋から生まれるいたましい苦悶が見られ、この苦悶は芭蕉の生涯を貫いて流れつづけてゆくのである。

また、下五の「秋の風」については、

「秋の風」が季語。この「秋の風」は感じたそのままが芭蕉の実感として生かされたのではなく、この談林の脈をひいた禅問答風の発想の中に常套的な素材としてとりいれられたものである。

として、全体を締めくくっている。

因みに、頴原退蔵の『芭蕉俳句新講』（昭和27）では、左のように書いている。

芭蕉の胸中には実に小萩が露のあはれも、巴峡哀猿の叫びも、詩歌の細みとして蓄へられて居たであらう。それがまのあたり捨子の声を聞いて、忽ちこの俳諧の一句となつたのである。運拙い幼児に対する悲傷憐憫の情は、蕭殺たる秋風の世界にあつて風雅の誠に通じて居る。

純粋芸術家芭蕉と考えるなら、この句も風雅の実践であったということか。あるいは、これが真実の姿かもしれない。だとすれば、楸邨の評釈はあまりに自己と関連づけされ過ぎており、井泉水のあっさりとした評釈にも納得がいく。井泉水の俳句も実人生と不可分に結びついている点では、楸邨と共通している。ただ、俳句形式に対する考え方が違う。ならば、井泉水が自由律俳句の根拠とする芭蕉の句とはどんな句なのか。なかなか見えてこない。評釈の比較を続ける。

○芭蕉野分して盥に雨を聞く夜かな

井泉水　深川に移住した、その草庵の実情である。軒先の芭蕉が野分の風にあふられる夜、雨は屋根からも漏るので、そこに盥を置くと、芭蕉葉のバサバサとする音と、盥を打つ雨のポトポトといふ音と、独居の夜はまことに淋しい感じである。

楸邨　天和時代の句。『武蔵曲』所収。「野分が吹きつのって、外の芭蕉はしきりにはためていており、雨漏りにあてがった盥にはしきりに雨水が滴って聞こえる、まことに侘しい茅屋の夜の感じだ」の意。蕭条たる野分と雨とに更けゆく夜の感じを音の世界によって把握した句であり、境涯的なものがにじみ出てきている。この時芭蕉は三十六歳、談林の波を凌いできた気息が、おのずから「芭蕉野分して」という字余りとなってほとばしった感じで、後年の改作したものよりもこの字余りの句形のほうが、把握の勢いを気息に乗せて生かしていると思う。

「俳句の本質は自由律」

井泉水の『新しい俳句の作り方』（大正10・日本評論社）という著書の中に、「音調律と自由律」という一章がある。芭蕉の「唐崎の松は花よりおぼろにて」という有名な句を引用して、俳句の本質が自由律にあることを解説している。取りあえず引用してみる。

> 此の句は芭蕉も得意とし、当時有名な句であつたが、音調の律に整つた所はない、言葉の意味から切れば、四一三四三二で支離滅裂である、アクセントから切れば、読声は、
>
> カラサ、キノ、マツ、ワ、ハナ、ヨリ、オボ、ロ、ニテ
>
> 三二、二二、二、二二、二二といふ調子にならうが、佳い調子ではない。しかも此句は、律のよく出てゐる句だ。意味はやゝ朦朧としてゐるが、律がよく出てゐる為にのみ面白いとされてゐる句である。先づ「唐崎の――」と詠ひ起こして、地上の一角を表象させる。そこに「松」がある、続いて「花」がある。しかも「松」と「花」は同じ調子、に浮き出てゐるのではなくて濃淡がある

ことは「より」といふ助辞で出してゐる。而して、其等を籠めて「おぼろ」の一色に包んでゐる。その朧夜の模糊たる風情は「おぼろかな」といふ風に堅く云ひ据えないで「おぼろにて」といふ未完了の助辞を以て、実に巧みに描き出してゐるではないか。かういふ風に見ると、此句の言葉は、情緒の陰影をもつて配列されてゐると云へる。古来の俳句を取つて見ると、五七五といふ有形律になつてゐる。此の外形を以て見れば、音調律のやうであるが、其は外面的の観察である。俳句を鑑賞する心の動き方を内面的に検討して見れば、上に、短歌の味ひ方を話したのと、根本的に相違のあることを知るであらう。即ち、俳句の律の本質は自由律なのである。

この句に対する楸邨の考えは、『芭蕉全句』よりも『芭蕉講座』の方が詳しくて、井泉水との共通理解と違いが分かる。この句には、発句として不可欠の切れ字がなくて、「にて」で留めてあるために、いわゆる「にて留め難」があると論議されてきたが、芭蕉は眼前の見たとおりを詠んだもので問題ではないと自身で語っている。その芭蕉の心を解説したものだ。

その景の自然に即して感合したままに表現したものであるから、にて、はさうなるべくしてなつたまでゞ、古来の法則を破つてゐるかゐないかは、真実感の前では第二義のことになる。こゝに実に芭蕉の自由な、第一義の真実に任せんとする精神が躍動してゐる。芭蕉は決して法則を破つて新しがる人でないことは、「去来抄」や「三冊子」を見るとよくわかるのであるが、その精神は、やはり、この第一義の真実を生かす道であれば、新古を問わなかつたのであつた。この句をかな留にするのと、にて留にするのとの差を味わつてみると、かな留であると、はつきり言い切り過ぎて、湖上朧なる駘蕩感が纏まり過ぎるのである。にて、にすると、こゝで感動は切れず、もう一度上に反響して、余韻がひゞくために、湖上朧なる眺望を気分的に生かしてゐるのである。

この句は、五七五であるから、楸邨にとっては「にて留」だけが問題であるが、井泉水からすると、「にて留」についてはは楸邨と同じだが、例えば芭蕉の「躑躅活けて其蔭に干鱈割く女」という句は十九字もあるが、「三三二、三三二、三」と「少し窮屈だが、音脚が音調律をなしてゐるから、少しも不快な響を発しない」のと逆に、「唐崎の」の句は十七字でも「三二、二一二、二、二一二」と調子は良くないが、意味的な表現上の律は良く考えられていると評価しているのだ。韻律的に破綻を感じる句とは思えず、井泉水の考えはなかなか理解しにくいが、これまで見てきた評釈から見て、井泉水の芭蕉理解は非常に真っ当である。テーマが突飛な句も、字余り、破調の句も、井泉水にとって自然なものであれば、ことさらに問題にすることがないということだろうか。逆に発想は新鮮でも伝統的な形式を守る楸邨にとっては理論的に解決すべき問題としてクローズアップされたのだろう。井泉水独特の自由律俳句の根拠を芭蕉句評釈に見ようと考えたが、上手くはいかなかったようだ。

井泉水の名誉のために一言書き添えれば、芭蕉句の評釈では楸邨に一歩譲るとしても、殊「奥の細道」の実地検証に関しては、井泉水の右に出るものはいないだろう。巻末の著書目録抄を参照されたい。

12 萩原蘿月と内田南艸、まつもと・かずや

感動律と口語俳句

今回は、自由律俳句でも、これまで触れてきた中塚一碧楼主宰の『海紅』や、荻原井泉水主宰の『層雲』とは別系列の、「感動律」を提唱する萩原蘿月(はぎわららげつ)に師事した内田南艸(なんそう)と、「口語俳句」提唱の市川一男に師事したまつもと・かずやを取り上げたい。

古書即売会で、内田南艸の句集『光と影』（昭和28）を入手した。この句集は昭和3年から27年までの作品から選んで、新しいものから古い作品へと逆に編集しており、発行は三元社、発行人は幡谷東吾（本名の藤吾を使用・「花実」主宰）、印刷は高柳年雄（重信の弟）である。彼等と南艸の関係は私には分からない。表紙は布装で、二色の型染めのように見える。贅沢な造りだ。序文を萩原蘿月が書いていて、これがすこぶる面白い。次のようなことを書いている。

最近南艸君は二三の口語主義の人と提携して、口語俳句雑誌を発行したが、私の感動主義と口語主義とは根本に於いて相違するところがある。私の句は感動が中心で、言語の上にあるのではない。全体として口語調であらうが文語調であらうが、そんなことはどうでもよい。美しい感動

を持つ言語であらば、古典語でも洋語でも、現代語でも廃語でも、何でも採用する。口語調の俳句が絶対的なものであるとは少しも考へてゐない。たゞ句が散文化しないやう、リズムを失はないやう、深い感動と豊かな想像とを念願するだけである。（略）形はどうあらうとも、感動主義の精神さへ伝はつてゐれば、それで私は満足する。形は個性的ものであるから、君は君の形を取つて行けばよい。君のよいと思ふところの句境を開拓して、南艸独自の勝れた句を残して貰ひたい。

蘿月の個性

蘿月は相当に個性的な人のようで、俄然興味が湧く。句集『雪線』（昭和8）や『萩原蘿月集』全二巻がある。彼の芭蕉研究書は古本でも良く見るが、どんな俳句を作ったのか。小説家耕治人（こうはると）に『小説詩人蘿月』（昭和39・感動律俳句会）がある。取り出して見たら私が貰ったわけではないが「謹呈　内田南草」という栞がついていた。耕が内田の依頼を受けて、内田の主宰する雑誌『感動律』に十回にわたり連載したものだ。耕は何度も私には俳句は分からないと書いているが、俳人（詩人というべきか）の伝記なのに、蘿月の俳句がまとまって引用されていない。耕と蘿月は面識もないし、依頼されるまでその業績、人柄も知らな

『光と影』（昭和28年7月）

い状態だった。南艸は耕と同じ明治学院出身で、同校卒業生を核とする耕が主宰していた雑誌の同人の一人だったが、俳人は南艸独りで、会社経営者という存在は同人の中でも異質だった。南艸はあるいは、蘿月の伝記を書くに相応しい人物を探していて、耕を見いだしたのかもしれない。人間的に蘿月と同質なものを認めたのではないだろうか。逆に、耕は蘿月関連の資料を渡されて読み、自分の師・千家元麿と共通したものがあると感じたと書いている。

耕は左のようなことも書いている。

自尊心が強く、己を信ずること篤い蘿月であるが、いくらか恥づる気持ちがあったのではないか。手放しで喜んでいられない複雑な心理が蘿月の胸中を往来したことだろう。狷介、孤独、喧嘩早いところがあった蘿月は必ずしも良い師匠と言えないところがあったようだ。不肖の弟子という言葉があるが、蘿月に恩怨のない私のような第三者の立場から見ると不肖の師匠のようである。

その証拠に長い俳句生活にもかかわらず蘿月には親炙した人は内田南草、櫛田拙斎、本間梨生、森抱葉、瀬戸青天城などの諸氏で、これは驚くべきことと言わざるを得ない。風神蒼白城、増田臼花という熱心な弟子、協力者がいたが蘿月より早く死んでいる。

その中で、南艸は蘿月の生活を支え、『雪線』の刊行も、この耕の伝記小説の刊行も私費を投じて実現した。既成の俳句に満足せず独自の俳句観を打ち立てる人物ゆえ、個性的な性格は避けられない

『冬木』創刊号（大正２年７月）
第一巻三号、四号、五号（大正２年９～11月）

だろうが、南艸という弟子を得たことをもって蘿月瞑すべきであろうか。

昭和38年、大和書房から二冊からなる『萩原蘿月全集』が刊行された。俳句作品は下巻巻頭に収められている。『雪線』全篇と、十代から投句した『ホトトギス』以来の俳句誌掲載句を、「感動律俳句作品」として編年式に収めたいわゆる全句集にあたるものだ。

ホトトギス時代（明治31～44）、冬木時代（大正2～6）、日光時代（大正13～15）、唐檜葉時代（昭和4～13）、多羅葉樹下時代（昭和14～19）、梨の花時代（昭和22～25）、感動律時代（昭和26～33）に分け二千二百句ほどが収録されている。中でも『冬木』は唯一蘿月自身が主宰した俳句研究誌で、大正2年7月に創刊された。蘿月がもっとも戦闘的に俳句に関わった時代といわれるが、四年ほどの短命で終わってしまった。手元に創刊号と、三号、四号、五号（大正2年7～11月）の四冊だけある。創刊号の巻末には『ほとゝぎす』『層雲』の広告が掲載されている。内容は芭蕉や蕪村など近世俳句研究が核をなし、後半に蘿月選の「雑吟」や自身の作品、俳論などがある。蘿月の提唱する感激主義を柱とした内容である。

『萩原蘿月全集』下巻に「新傾向の句と『冬木』の立場」（『冬木』大正4）という評論が収録されている。河東碧梧桐や中塚一碧楼閣、安齋桜磈子、瀧井折柴ら『海紅』による俳人の作品を物足りないと批判し、自らの感激主義が如何に「内から外へあふれる」生活上の感激を表現できるものであるかを説いたものだ。その中で蘿月は、「俳人は俳句ばかりを作つて居てはだめだ。長詩によつて感情を波立たせる必要がある」と語っている。

事実、『冬木』第一巻四号（大正2年10月）には、「長詩　愛のまぼろし」を掲載している。

　そこにあやしい矛盾を見る。／そこに痛ましい孤独を感じる。／たのしみは刹那に流れ、／くるしみはとはに活きる。／かくて此の生の終らん日。／この矛盾の、／この苦しみの残像の、／物狂ほしさに、／叫ばしめる形なき愛の詩。／はかない生のしたゝり。

『冬木』掲載作品は、『全集』によれば五十八句と少ない。真の感動を詠むから自ずと作品は少なくなると書いている。五句紹介しておく。

　汝が前にぬかづく貧児ありと思へ（芭蕉忌）
　鳥影さへ大きかや北を指す枯野
　鳩がク、と啼くも画ける春夜なる
　内はざわけめく南風（みなみ）の春を森彼方へ
　病めば一芽も春日に洩るゝ土ふるうて

改造社の『俳句三代集』別巻「自由律俳句集」（昭和15）には、編者の中塚一碧楼や荻原井泉水と同数の四十句が収められている。慶應や二松学舎の講師時代で自選だと思われる。さらに十句に絞って紹介しておく。

落日草冷たし草握らむ
我寂しき日妻ははたらきはたらく
雨の音やすみすべての物音やみし
枯れつくすなべてのもの短き影濃き
山の上まさおし荒れをさまり
桐の寂しさ大人が子供にまじる
落日見ゆ群れよりはなれ行くかな
蜻蛉捕へて放す陽のあまねく
夕立すぎし静かさ蟻が落ちる
おのづから陽も落ちて島の灯ともし

最初の「落日草冷たし」は蘿月自ら、自身の俳句が変化した（つまり感動律を会得した）記念的な作品と『雪線』の自序に書いている。また南艸宅の玄関に蘿月生前にこの句碑が建てられ、蘿月は非常に喜んだという。

南艸『光と影』より

その南艸の『光と影』であるが、収録されているのは二八五句と少ない。かなり厳選したようだ。年代によって「冬の青草」「焼土の月」「一茎の花」「躑躅の夢」「棕櫚の雪」「秋の木々」に分けているが、昭和19年までは旧仮名遣い、以後は新仮名を使用している。句集の方針にそって、新しい昭和22年～27年から、戦前の古い作品へ順に抜いて紹介してみる。

ふしくれて働く手　光と影によりそわれる
まだ芽の固い一枝握って遠いものを見つめてる
死にたいと思いつゝ寝ては夢は深海魚にあう
颪を見つめてゆく孤児院へ孤児のゆくえ
押し寄せる冬をにらむように猫の眼とぶつかる
ストにおびえまだ消えぬ裸燈消して寝る
ふるさとの海で拾った貝殻　雪の夜にかぞえる
幻想が消えて颪をつかんでいたてのひら
人間天皇　空に凧が上がっています
雪を踏みしめる僕はかたくなではないはず
泰山木の花が空を占める　俺は大地を占めよう

稲妻稲妻　手を洗っているしゃぼんの泡
石、一日だまっている石とわたし
烏瓜の木にからんだのは俺を馬鹿にしている
星まつり星が流れてから静かな夜の河
生きて故国の村にいる風速い元日
妻子疎開もいつの日かえるこの村の七夕
冬日を壁にあつめるよくも焼けなかった我が家
空の光も河原一すぢの道　春来る
春の星を気づかずにゐる罹災の一ト夜二ト夜
戦敗れ油蝉の声のおしつける暑さ
君が征った夜もろこしの葉の月光びしょぬれ
君の死　白い冬日が梢をはなれる
松蟬聞く脚にふれた草のをのゝき
坐り直して秋の夜を満たされぬものある
太陽ふり仰ぐ　生くべくして、枯草
アイヌのくぼんだ眼が山を見てゐる　山の秋風
いつか消えし夢なり雨に躑躅よき
さかしげな瞳ぞ仔鹿鳴いて見よ

干足袋のこはばり落ちし寒さかな
蜥蜴消ゆ石炎天の陽をあつめ
昆布拾ふ海女海鳴りを聴きすます
夕焼けに工女まゆずみ描きたり

「幻想が消えて風をつかんでいたてのひら」「雪を踏みしめる僕はかたくなではないはず」など、新しい作品の方に真面目な性格と個性が感じられる。それを先にした理由も分かる気がする。社会の事象や生活が色濃く反映される時に、自由律の良さが出ているのではないだろうか。南艸は蘿月と違って温厚な人物で、東京の荒川区尾久で食品工場を経営していたようだ。

この『光と影』には口語俳句の市川一男も「跋」を寄せている。市川と南艸は戦後、『新日本俳句』にかかわるようになってからの付き合いという。市川は『現代俳句大事典』（三省堂）によれば、昭和23年に原石鼎（はらせきてい）主宰の『鹿火屋』から独立して『口語俳句』を創刊、昭和33年には吉岡禅寺洞（よしおかぜんじどう）らと口語俳句協会を設立したとある。『近代俳句のあけぼの』というA5判、第一部二部で八七〇頁もある、子規以前の俳句史の大著も著している。昭和54年、『光と影』と同じ三元社の刊行だ。「おわりに」によれば、幡谷の「三元社文庫」の資料を自由に使っての成果というから、幡谷による出版なのだろう。

幡谷さんは、私が日本古書通信社に入社した昭和54年から、亡くなる昭和62年ころまでよく事務所に訪ねてこられた。俳句史資料収集の為に古書即売会の常連だったのだ。私と同じ茨城県人で眼をかけて下さった。その頃私は俳句に強い興味も知識もなく、今なら西東三鬼（さいとうさんき）のこと、高柳重信のことなど聞きたいことが沢山あったのに残念としか言いようがないが、戦前の俳句の歴史を辿っていると幡谷さんの名前が時々出て来て懐かしい。確か、奥様の旧姓が樽見だともおっしゃっていた。眼光鋭い方だった。

まつもと・かずやの口語俳句

市川一男に師事し、後に市川に代わって『口語俳句』を継承した（昭和52年百五十号で終刊）のが、まつもと・かずやである。まつもとは、台東区職員で、不忍の池畔の下町風俗資料館館長を務めた。『戦後世相史と口語俳句』（一九九二・本阿弥書店）という著書があるが、内容は「口語俳句運動からみた戦後俳句世相史」で、昭和20年から42年まで編年式で書かれており重要な研究である。

まつもとには、全句集ともいうべき『まつもと・かずや戦後俳句集』（昭和63・本阿弥書店）がある。この全句集は、昭和22年から昭和62年まで編年的に編集されており、まずその年の年賀状と自分の動向と世相が解説され、その後に作品が掲載されている。南艸と比較できるように22年から27年までの作品から引用してみる。

「おれは浮浪児だぜ」といいきった目のかがやき
焼けビルに陽があたり男も女も背負う袋
襟章のない兵が還り天皇は地方へお出かけである
切腹する男たちのわき鳩が松葉くわえて歩いている

ぽんせんべい面白いようにふくれて戦後の実感
米軍機ばかりが飛ぶ東京の空の黄色い夕日
横顔がなかったらこんなにさびしくもなかったろう
命惜しくあり戦争をへてきたものが横にいる
踊る宗教につられて踊る遮るもののない銀座
アベックということばおぼえる銀座裏町夕しぐれ
広告のうしろにひばりの唄書き込む早春の季節
くれない色に燃える姿みつづける絞首刑の仲間たち
蟻の死へ人いつかつづかねばならぬ
都会のゆううつはいつか戦争の話にうつりひよわい赤子がなくよ
土地改良も先立つ人に利用され富士のよくみえるみかん村
やがて秋となる朝鮮の稲穂にのぞく銃口かとおもう
機械売りに出す町工場の夕暮きては灯す五燭の燈
茶と灰の空で警官が追ってきたメーデーにぼくは逃げた
「君の名は」放送されている売れない魚屋の店番一人

後年の作品を読んでも作風に大きな変化はない。「あとがき」で次のように書いている。

ぼくが、口語で俳句をつくったのは、それまで文語の範囲であったものを、口語でうたうことが、日本の民主化につながるだろうと思ったからである。事実、その通りであったと自負している。過去の字余りや自由律と根本から違うのは、そこである。そして、国民の義務として、今後も、国語、国字を少しでもよくしよう、よくすることに協力しようと思っている。民主化とは、まずこういうことから始まるからだ。

まつもとの口語俳句が、現代の日本語にどのように作用したのか分からないが、まつもとの作品は、この全句集編集の方針にもよろうが、世相の反映が際立って顕著で、記録性の高い俳句であると思う。

第二章　自由律俳句の諸相

1　中塚一碧楼の句評と俳句

句評から俳句観を追う

中塚一碧楼（なかつかいっぺきろう）には俳句理論書に相当するものがない。近代俳句の指導者としては珍しいことである。そこで、主宰誌『海紅』に収録された同人雑詠欄掲載句等に対する句評を年代を追って見て行くことで、その俳句観や変化を見てみようと思う。多くは合同句評なので他の評者の言とも関係するのだが、煩瑣になるので他評は控える。旧漢字は新字に改める。

第三巻八号（大正6年9月）合評者　河東碧梧桐・瀧井折柴（孝作）大正8年あたりまで基本この三人が担当である。

○灯篭絵師けふは晴々と額をもたげ　　唯一郎

作者の感情は殆んど遺憾なく盛られてあるやうである。渾然たる一句で、私は歌ひ切れないとは思はぬ。かうしたある特殊な者を詩材とした詩は多くの場合、句が浮き浮きとして、大抵なぐさみの気分を誘ふやうであるが、この一句は妙に落着いて、しつくりとした情緒を持つて居る。作者の主観の最も鮮かな優れた一句であらう。

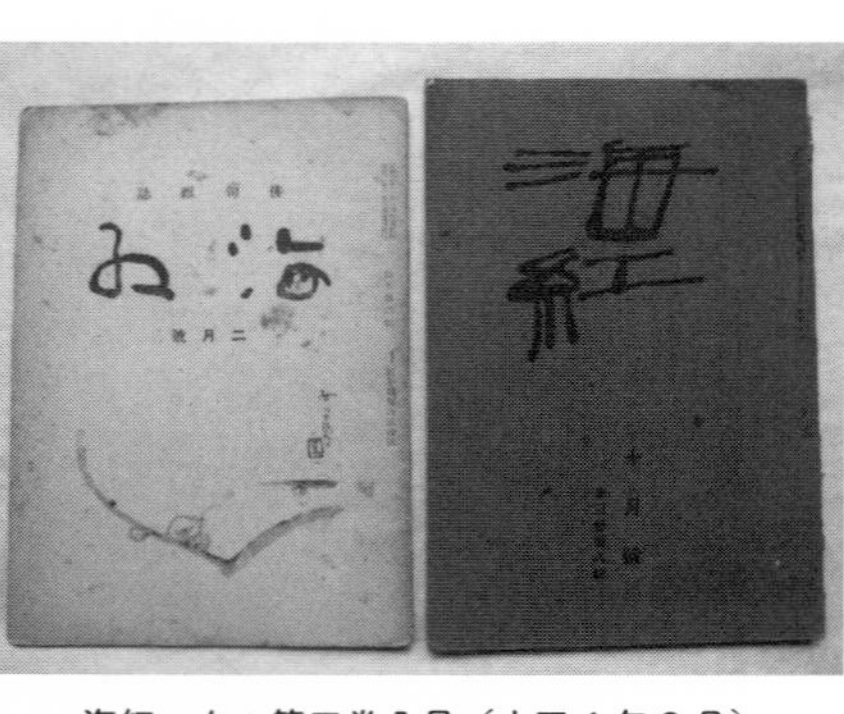

海紅　右：第三巻八号（大正６年９月）
　　　左：復刊二号（昭和22年３月）

○紫蘇の葉を君にも嗅がせ日傘を開くことなし　　西水子

若く、やさしい者の心持ちが、流れるやうに出て居る、言葉も素直にいゝ調子を作つて居て快感を覚える、が云はゞ少し甘たるい様に思へる、けれどそれは若い詩として言外にして置きたい。

○あやめさいてもさみしいはあたりの木の葉　五湖

これは私には却て銑練、到達を思はしめる句であるが、心持ちがしつくりと、いかにも明らかに出て居る佳句である。

第三巻十一号（大正6年12月）

○女をにくゝ思はずそれだけで夏は過ぎけり　小鍵

或場合のこまかい、美しい感情である、単に垢抜けがしてるといふのみならず、これで居て微かにピリピリと顫へてゐる感情が出て居る、浮き出るやうに明らかに表はされてゐる。

○四五本の奥の栗を振り落としはじめたり　　午子

突き放したやうなものの言ひぶりであるが、こまかいそして純な心持ちがしつかりと出て居るはつきりとした快い句である。

第四巻一号（大正7年3月）

○煙に噎せて飯を食む厚著の工女ら　ふみを
至情はいつまでもフレッシュな心持ちを誘うて来る。この場合、食ふ物が飯であることは殊にしみじみと沁み込んで来る様である。
○冬帽かぶり皆かぶる人中にまじりたり　兎人
人のさびしみが紛れもなく表はれて居る。さびしい事です。表現の仕方もよい意味での技巧の到達でせう。

第四巻二号（大正7年4月）
○泥雪ふみてあまたすぐるかゝはりのなき人達　蟻介
どちらかと云へば、句の表が散文詩的なやうな風であるが、内容は非常に張つた心持ちで、清新な気が充ちてゐる。いかにも俳句らしい一句に作り上げた様な句に比してどんなにイキイキしてゐるか知れない。

第四巻十号（大正7年12月）
○時々残暑の煉瓦塀に手をあて何とか云はねばならぬ俺　巨鬼
感じの鋭い若者の鋭い言葉である。たゞ云ひ方が自由自在と云へば自由自在と云ふ様なものゝあまり言ひ放しのやうに思はれる。尤もこれは却て評をする私が言葉に対する或る囚はれに在る事を自白する事かも知れない。一読した時この鋭い感じは自分で受入れ得たのであるから。

第五巻十号（大正8年12月）一碧楼一人による句評に変わっている。

○いさゝか酔つてゐてうす闇の木槿ひつぱり　如風

薄闇の中の木槿はさながら夢の様であります。自分は少し酔つぱらつて、いゝ気持ちになつて、今、身に近くの木槿の枝に手を伸ばし、之を引つ張つたのであります。幾らか冷ややかなその手触りは、云ひ知れぬ快さであります。木槿の一枝を折らんとする事を明かに感じて居るといふより、殆んど本能的にそれへ手を伸ばし、掴んで引張つたのであります。此場合の「ひつぱり」といふ言葉は非常にいきいきとした言葉であります。同時に一句はいきいきとした内容を持つて居ります。

第六巻一号（大正9年3月）

○妻よお前に死なれた児の足袋　愛香子

見るもの、聞くもの、何かにつけて亡き妻を偲ぶ事は誰も感ずる様な情でありますが、作者はこゝに、自分の児の小さな足袋、そしていつもの様な自分の足袋を見るにつけて堪へ難く亡き妻を偲ぶのであります。偲ぶと云ふよりも寧ろ恋しく、熱愛を感ずる強さであります、「お前に死なれた」といふ言葉はいかにも此場合の切なる思ひをそのまゝに伝へて居る切迫した生きた言葉の様であります。

第六巻三号（大正9年5月）

○黒いころものひろそでのおろかしき雪汁　露命

僧侶である作者は、自分の身を包む黒いころも、殊にそのペラペラ広いそでに頼めない様な、おろかしさを感じたのであります。何かの事から、溶けてゆく雪の汁をさうした袖につけて、其心持ちがいよいよ自分自身に明かに覚えられたのであります。つゝましやかなお坊さんの心であります。

第六巻五号（大正9年6月）

○北風なぎたる窓あかり胸にさすか　花駮史

吹き荒んだ北風は吹き疲れ吹き止んでしまつて、風のあとの世界は気味悪いほどにも静かであります、窓からはぽうとした明りがさして、この様に静かに居る自分の胸に射し入る様であります。わが心はこの静寂のうちに奇しき顫へを感ずるのであります。

徐々にそのテーマが社会的なものが取り入れられてきているのがわかる。関東大震災をはさんで日本の社会も大きく変化した。

昭和5年には木染月、絶頂、花駮史、雪腸、海灯、庸延、嫁ケ君、桜魂、などとの合評になる。

第十五巻十一号（昭和5年1月）

○雪の磧人ゐるところにむかひ　亜杜子

素朴な心持でいゝと思ふ。この場合の「むかひ」は無論「真向かひ」といふのでもないと思ふ。霜の磧人ゐるところ、それに作者の心持が引きつけられてゐるのであらうと思はれるが、少しぼんやりし過ぎてをります。

第十五巻十二号（昭和5年2月）合同句評とは別に「この一句に就いて」と題した単独評を掲載。

○人に男女あり地に極寒来り　高橋晩甘

この一句についての、一碧楼と晩甘とのやりとりを紹介したもので、一碧楼は、「男なり女なり地に極寒来り」ではどうかと伝えると、それでも「硬い」と、「男よ女よ地に極寒来り」に変更するが、一碧楼はさらに、「男よ女地に極寒来り」と直し、読者に感想を尋ねている。

第十六巻十一号（昭和6年1月）

○市場も人薄に白菜が残りたる店　杉郎

古いも新しいもない。真は新といふ事を繰り返して言ひたくなる。ふだん着の作者に接し得て、甚だ愉快である。しかし句末「…残りたる店」と云つたので「白菜」そのものが少しぼんやりしてゐるところ少々遺憾だ。もつと白菜自体が明確に出たらもつと迫力をもつであらうと思ふ。作者杉郎は昨年、新たに、とある店を開き、爾来孜々営々、商ふことに身を打ち込んでゐる、そこから「…残りたる店」と出て来たであらう事は私にはよく判るが、これは私がするお話であるだけである。

第十六巻十二号（昭和6年2月）

○山に残つた芒がなァ天とう様の方を向ひとらァ　霞郷

この純真な、そして大もの〻気持を好みます。「芒がなァ」の「なァ」、「向ひとらァ」の「とらァ」、これは備中辺の言葉つきで、故郷を同うしてゐる私には、最も素直に、最も力強くひゞいて来ます。大分難もあるやうですが、私には些かのわざとらしさを感じませぬ。何となう故宮林菫哉を思ひ出します。

第十七巻二号（昭和6年5月）

○地に霜のこりや〻掘りて木の根など木を掘る男　あつみ

敢て句面の整理をはからず、一気にぐんぐんと叙べられてあるところ甚だい〻と思ひます。複雑な心持なれど些の混雑を来しませぬ、これは心持に於て練られてゐるからであります。「など」は一寸「うまい言葉で出たナ」と思はれます。浮いてゐる巧さではないが、私の望から云へば、もつと鈍である方がい〻と思ふ。けれど、これはその人その人の持前もある事で、無論、之を難ずるといふ程ではない。

第十七巻三号（昭和6年6月）

○雪解川空に太陽のぼり　木染月

なかなかに得難いほど、一句の重みを持つてゐる事を賞讃します。謹厳なる作者に接してゐるの思ひがあります。けれど「雪解川」は衆説の如く此場合少々堅過ぎる様です。俳句的に「雪解川」と置かれたとは思へませぬが、雪解の川の生き生きしたさまはこのまゝでは躍動して来ませぬ。「雪解川」と整理されない、も一つ前のウブな言葉が欲しい気がします。

少し時代を飛ばす。

第二十二巻五号（昭和11年7月）一思、海灯、青橙、釜村、茫洋、四海楼、城月子、晴星、桜魂子との合同句評。

○くらしの鍬がありぼんぼん時計があり麦田むぎ稔り　青柚

百姓の姿、百姓のこゝろ、さながらに感じられる。一句は巧まずして自ら巧い表現をなしてゐる。「くらしの鍬」といふところも言葉遣ひとしては一寸無理にも思はれるが、寧ろこゝまでにつめ得た勢をいゝと思ふ。ぼんぼん時計も一寸突発的に感じられるが、心持から云つて少しのこだわりもない。佳句。

第二十四巻十号（昭和13年12月）

○霧の夜電燈の下でたゞむいくぶん霧ふくんでゐる国旗　一壺

国旗に対する敬虔な心持が、いかにも素直に出てゐて牽きつけられ、一緒にお辞儀がしたくなるやうな心持がする。「霧の夜」と「霧ふくんで…」の霧の重なりもそれほど引懸らなかつた。此号の評に上せた三句ともに、言葉の繰返しがあつたといふ事を云はれてハツと思つた。型を作す事はむろんいけない、皆んなで、一応留意すべきだと思ふ。

第二十五巻一号（昭和14年4月）露明、あつみ、桜碗子、美雄との合評。

○かうしてみちに立ちつゞける冬木と家と　鋭雄

他の雑多なものが悉く消え失せて、この場合、冬木と家とだけになつてゐるところが太だ好ましい、こゝまで到り得た事を有難いと思ふ。「かうして」はうまい云ひ方ではあるが、もつと、気を入れてゆつくりと言葉して貰ひたかつた。

第二十五巻六号（昭和14年9月）

○機械にハンドルがあつてそれが光らない夏朝　鋭雄

句表現はあまりいゝ出来ではないが、一句に持つてゐる素純さを愛好する。子供子供した句心とも云へるであらう。「夏朝」といふのも、何となく置かれたやうにも見えるが、実にしつくりと坐つてゐて、いゝと思ふ。「それが」は桜氏説を聞いて、一寸考へさせられる。（桜碗子、「それが」は一句の上に欠くべからざる表現としても、「ハンドルがあつて」の「あつて」の意思表示がある為に、「それが」の観念化が一句を著しく理智的なものとしてゐる。）

第二十六巻一号（昭和15年3月）

○大根つけてるみんな親しい人まろき手まろき顔　千鶴子

素直な心持を素直に表現してゐて快い一句である。「まろき手まろき顔」といふところ一寸調子づき過ぎた感じがあるが、こゝから作者の鋭さが感じられ、一句がしつかりともしてゐる。絵で云ふならば、しつかりと画いたよく描かれたと云ふべきであらう。

第二十七巻十号（昭和16年12月）

○水筒ぢかに水飲む樹々を低くとんで頬白　碧海

「水筒ぢかに水飲む」実にいゝ気持ちで、構へない心待が、さながら表現されてゐる。そして頬白が飛んでゐる事を感じてゐる作者の確かさ、その素直さも亦観る可きであらう。しかし此際「低く」といふのはどうであらうか、こゝは単に「樹々をとんで頬白」といふだけでは収まらないであろうか、「低く」といふのは僕には余剰な思ひである。

第二十八巻二号（昭和17年4月）

○蕗の薹をさがすとて土堤を遠く行つてしまつた　北汀

如何にもらくに受け入れられる句であるが、心持をこゝまで澄まし切つて来る事はなかなかの事であると思ふ。一寸何でもないやうであつて、一読縹渺とした詩情に引き入れられる、簡潔であり、寡黙であるかうした表現は上々のもの﹅の一つであると思ふ。

第二十八巻九号（昭和17年11月）

○命令待つこゝろ兵らきのこ汁すゝり　愛水

戦線にある作家の句であつて、しかも、悠揚たるこゝろを失はず、何となう一種の和やかさを感ぜしめるところ甚だ立派だと思ふ。このやうな処から真の底力も湧いて出ると、さう思へて喜ばしい限りである。「命令待つこゝろ」と云ふ表現も素直であつてそこに厳かなこゝろのはずみをその儘に感じられる。

第二十九巻二号（昭和18年4月）

○ひる飯を喰ふ子供等いつまでも兄弟であり山の雪　南海楼

この深さ、この確かさ、誠にありがたい。「いつまでも」といふ言葉が稍々過ぎてゐるようにも聞こえるが、こゝが作者の思ひであり思ひの深さであるので、この表現の外はないと思はれる。終りの「山の雪」も実に良くをさまつて大きい感じを持つてゐる。

第二十九巻七号（昭和18年9月）

○山芍薬花咲き塹壕こゝからつゞく　愛水

このやうな地味な、確かな戦争句を見と、やゝもすると新聞の見出しのやうになり勝ちな銃後の戦争俳句といふものが実に嫌になつてしまふ。時には派手な戦争俳句が出て来る事も肯けはするが、派手な句では迚もかうした真味は出ない。

第二十九巻九号（昭和18年11月）

○雑草分けつゝ除けつゝ一列兵隊つゞく霧中　繁時

力強い前進を感じる。「分けつゝ除けつゝ」は一寸面倒なやうにも感じられるが、こゝから実際感が生き生きと出てゐると思はれる。無論僕たちもこの通りの心持で各人みな前身すべきであり、僕たちも此一列の兵隊につゞくべきである。

第二十九巻十二号（昭和19年2月）宗作、鉛人、美雄、晴星、桜魂子との合評。これが戦中最後の号であり、一碧楼の最後の句評となった。

○霜深い草の路工場近い　木槌

一見凡々の句のやうでありながら、じつと静かな心の底に或る機みを持つてゐるところ好感が持てる。句心よろしといふべきであらう。

「心持」という言葉に代表される抽象的用語が頻出する。優れた表現には「有難い」という感想を示している。同語の反復など型を作ることを避けるようという指摘もある。水原秋桜子が自由律俳句の陥りやすい欠点と指摘した点である。

季節感横溢の俳風

ところで、一碧楼の俳句はどのようなものであったか、終戦後『海紅』が復刊された時、既に一碧楼は亡くなっていたが（昭和21年12月31日歿）、復刊二号（昭和22年3月）から二十三年一月号まで、同人による「一碧楼俳句鑑賞」を連載した。各人が数句ずつ好みの句を上げて鑑賞を加えている。右に一碧楼が句評をした作品と比較してみることも意味があるだろう。鑑賞は割愛して句のみあげる。

昭和二十二年二月号　南晴星

霜降るに日の射す枇杷の一木を愛し
冬の日土くれの色か飛ぶ雀か茶いろ
寒蘭一鉢をおくところをかへしめず部屋中
柚子の黄なるを二十もらひ一つ食べる夕べなり
馬の鬣であり家の棟であり短日の光
木々が立ち鶏ら鳴きすべて冬の日のそら
魚にくるくるのまなこあり冬の日ひとりの人に買はれた

昭和二十二年三・四月号　高橋晩甘

凍夜この山より山と山とかさなりてあり

芹を刻む音きいてゐる部屋のうちに
松の木ばらばらにみどりの冬の日肥桶をかつぎ
消えよとおもふしらけてある灰皿が一つ冬の夜

昭和二十二年五月号　松井千代吉

僕が一匹の馬であるやうに冬の日或時の感触
風きこえ高きに欅の芽ぐみ
女の倦怠がちらちら雪をふらすそのやうに思ふ
草も萠え出でよ埋もりて地に巌があり

昭和二十二年七月号　田中海灯

林檎を愛づ心持雨空を仰ぎたきこのとき少女
羽織ぬいでゐるまゝ友を迎ふるせまい入口でありせまい部屋中
豚胴体がまるい春日てりかげり子豚もゐる三つ四つ
雲あたゝかくうごく一つの家に入り人たち
一人で一ぽん丸太をはこんでる青く草生えたみち

昭和二十二年八月号　山田宗作

雨空中空があかりはじめたゆらぐ穂麦の畠
ものの底の心持小さい梅の木が実をもつた
日かげ夏めき年古りしさまに桧葉垣
人体夜夏ものにこゑなしものものうごくなし
雨白つゝじ白いつつじが終りの花ざかり

昭和二十三年一月号　小林満巨斗（昭和十一年八月号掲載句より）
水母ずんずん流るゝ潮をゆうべ西空
海のうへ鱚釣が舟縦一列のならび
原つぱ草の葉みなあをくいとけなき螳螂のむし
わたしのあばらへ蔓草がのびてくる
落ちつけ冷やし茶だすわつてゐるわたしのうしろが壁だ
西田好調と読むしずかなる夏新聞紙をたゝみ
（著者・西田は棒高跳びのオリンピック選手）

最後にあげた小林満巨斗が、一碧楼の俳句を次のように評している。

一碧楼の俳句の特色は、そのすぐれた客観描写にあり、小主観を排し甘い感傷を斥けて一途に現実の象にきびしく徹せんとした点にある。修業―努力―しだいに詩心は高潔となり、言葉は自由に駆使され、象徴のかたちをとり遂に異常の詩境を展開して、稀有なその芸術的天分を遺憾なく発揮されたのであつた。

一碧楼の右にあげた句が、果たして「高潔」「自由」「象徴」の作品であるかどうかの判断は難しい。一碧楼の句は自由律ではあるが、伝統的というべき実生活の観察感動を詠みあげたものである。切れ字の使用はなく、季題という意識もないのだろうが、季節感は横溢している。自由律独特のリズムによる語感の面白さもある。しかし象徴性はどうだろうか。短歌は感動を高らかに詠いあげるのに対し、俳句は象徴性の強い文芸と一般的に言えるだろう。季語がその効果をあげているとも言える。自由律の場合は季語や切れ字の使用は原則ではないので、表現された内容、情景、心情、あるいは語調のリズム全体で象徴性が問われることになる。

むしろ、復刊二号から四号（復刊号は未所持）に掲載された一碧楼の最後の句には、至り着いた句境が示されているように思う。

復刊第二号　冬海

絶句　二句

病めば蒲団のそと冬海の青きを覚え

魴鮄一ひきの顔と向きあひてまとも

神意のごとし少女霜朝のこの道を行く
冬に入りし人々であり並べられたる鯖
茶の花咲くなど家のうしろにて地の深さをおもふ
夜の戸みんなしめきつてゐる蜜柑を食べる
袴をぬいでから冬菜畠に出でて
柊の木は古典少女がゐて冬の雨ふる
ものを追ふてゐるやう初冬街筋を歩みゆく人々
人々と共に線路踏切を越え冬の林へ

復刊三号　夕星

落葉の林へ踏み入つて林から出られないやう男があるく
にんげんを大河内伝次郎を話す冬夜青年が真向き
人が芋一株を掘り夕星は空に夕星
初冬の日ざしスクラムトライをする今全体きほひ
地の霜よろこばし菜畑などあり
椿の木あをくて住む年末が来る
草枯れのいろ電車走ればこゝろゐましく
鰈そのほか配給がすんだ家々の夕空

復刊三号　山つゝじ（二十一年作句帖より）

男の肩幅である咲いて木蓮の花

春一夜が明ける一方へ流れゆく潮

山つゝじ咲きこの朝をむかへこの山

窓々をみな開ける草青きがゆゑに

復刊四号　爽涼

木槿白く咲き堪へてゐる家族ら

爽涼馬とあるいて去りゆく男

十方南瓜の葉おとろへる日のひかり

船より来し者に先づ見せむ萩の花

日てりつゝ粟の穂太いさみしさに歩く

左の句から何句か、私なりの鑑賞をしてみよう。

○病めば蒲団そと冬海の青きを覚え

病床にあっても、いつかどこかで見た冬の青空の下の、大きな海のうねりが眼前に髣髴とする。彼方から湧き上がってくる命の力。永遠に続いていく生命の神秘を象徴したような作品である。「そと」

の二音で情景が大きく転換されて見事なリズムを与えている。

○茶の花咲くなど家のうしろにて地の深さをおもふ

裏庭の生垣などにひっそりと咲く地味な白い茶の花。特別手など加えなくても季節がめぐってくれば多くの花をつけ、やがて硬くて丸い実をつける。それも土地が持つ力である。我々人間一人一人もその地上に支えられて生きているのだ。定型であれば、この「など」は不要であろう。「家のうしろにて」も通常は「家後」とか「裏庭」などの表現になるだろう。だが「家のうしろにて」とすることで、詠む主体の動きが、つまり家の外にちょっと出て、裏庭に足を運んでみたらといった動きが出て来る。自由律ならではの表現であると思う。

○爽涼馬とあるいて去りゆく男

「爽涼」は秋の季語の最たるものの一つで、この一句では極めて重要な要素であろう。「馬とあるいて」は目の当たりにしているかどうかは定かではないが「去りゆく男」は一碧楼自身と読める。人生を振り返り爽やかな気持ちで最期を迎えられたという充実感を感じる。

左に見てきたように、一碧楼の句評は具体的に句をどう変えれば良くなるとか、細かな句法上の指摘があるわけではない。しかし、評された作者の側には嬉しさが残ったのではないだろうか。子弟の愛を感じる句評である。

本書執筆の動機は、一碧楼の句、

とつとう鳥とつとうなく青くて低い山青くて高い山

水母が浮いては浮いては出舟出てゆく

子を生し子を生して棲まうに赤いゆすらうめ

などに出会ったことであった。一碧楼は今や忘れられた俳人の一人で、その作品に触れることも容易ではないが、もっと知られてよい筈である。

2　荻原井泉水の句評――草田男・虚子との違い

前節で紹介した一碧楼と同じく、左のような印象批評もある。

しかもその内容は懇切丁寧で比較的長文の用語法などの具体的な解釈批評である。

末尾に収める「荻原井泉水著書目録抄」に見られるように、井泉水には多くの俳句入門書類があり、

井泉水の句評

○なみだのおちこんだ豆たべてゐる　　木村幸雄

此の句を人生の一面などゝ見ては却つてくさみがつくであらう。これは子供としてみるべきである。豆のやうに大粒な涙をこぼしてゐた其眼、まだ全く泣きやんだのではないが、手に持たされた其豆をもうぽつりぽつり口へはこんでゐる其口、そこに親としての微笑を感じたい。

○麦と青空の遠くからくるのがてふてふ　　池原魚眠洞

青麦、青空、蝶――斯うした平凡な取りあはせであつても、斯ういふ風に表はせば、此作者が見たる一つの世界として春の光がかがやくのである。此句は近景から、遠景へ、而して、遠くから、近くへ――此視線の方向に空間のリズムが出てゐる。

○日本のラヂオがようきて防波堤の上の月　丸山素人

「月」だけでもよくはないかと一寸感じたが、「防波堤」で港が出てをり、又大洋を思はせるので、望郷の思の一層切なるものが出てくるとも云へる。作者はハワイの住人である。

右は、『自由律俳句評釈』（昭和10・非凡閣）からの引用であるが、こうした短評の例は少ない。同書の巻頭には「評釈的に」と題し、『層雲』を代表する俳人たちの句への詳細な解説批評が展開される。これらが井泉水の句評の特色である。一つ一つが長いので、二例のみ上げる。

○枯木寒が来て寒詣り通る　大橋裸木

実に無造作な句だ、而して此無造作さの中にやはり裸木の顔がある。冬だから木が枯れてゐる、冬だから寒ンになる、寒ンになつたから寒詣りが通るのだ、と斯う頭のみで解してみればあたりまへ極まるたゞごとではある。然し、おゝ、寒詣りが通る。寒になつたのだな、枯木が立つてゐる、と斯う感ずる事に、此ありふれた風景の中に詩がある。年々歳々、繰り返される行事と其自然、ありふれてはゐるけれども、決してふるくはならない、しみじみと目のとめられる事ではないか。だが、又決してめずらしい事ではなく、又、特に趣味的な事でもないのだから、此尋常な事柄を表はすには、きはめて尋常なありふれた言葉を以て、たゞたゞ、あるがまゝ其まゝといふ感じを出さなくては、その自然さが自然に出ないのである。即ち、たゞたゞ「枯木」であり、何とはなしに「寒ンが来て」であり、「寒ン」といふものゝ影が通るやうに「寒詣り」が通るのである。それは、此表現の無造作さで生かされてゐる。つまり、無造作に云ふべきものであるから無造作に云うたのである。しかも、此無造作さの中に、がつちりとして動かぬものがある。
カレキ　カンガ　キテ　カンマイリ　トオル
三五五三と字数を畳んであるところ、そこにカの頭韻を踏んであるところ、キのひゞき合ひ、リルの類音でおさへてあるところ――是等は意識的に調整したのではなくて、おのづから斯うい ふ言葉がうまく並んでしまつたのだ。そこだ、無造作さの中に自然が有るのは――、而して、それを逸がさずしつかりとつかまへてしめつけたところに、裸木の手際があるといふものである。猶、私が一個の好みから云ふならば、うすうすとした夕月夜、枯木が影をひく程でもなく、白衣をきた男が紙人形のやうに行く、私は何故か此句から、あの鈴の音が感じられない。あの鈴の音はどうも、此句の場合にはやかましすぎるやうである。

○おみくじひいてもどるぬかるみ　種田山頭火
これは七七調である為に、古風なる連句中の一句といふやうなところもある。だが、連句の付句ではぬかるみとまではよう云ふまい。付句では前句に対する掛け引きもあつて、一概には云へない事だけれども、「おみくじひいてもどる夕ぐれ」或は「おみくじひいてもどるやゝ寒」とい ふ位に云ふところが付句らしいので、（即ち前句の心を補ふものとなるので――）、此句のやうに「ぬかるみ」とまで云ひ切つては、付句としては複雑すぎるものにならう。で、これはやはり俳句的の内容をもつてゐると云へる。此句には、おみくじを引いて戻る人の姿がかなり好く出てゐると私は思ふ。男ではない、女である。女も三十少しすぎたかと思はれる年配。髪は無造作な櫛巻にしてほつれてゐる。下を向き加減に歩いてゐるのはぬかるみで足元が悪い為ばかりではない、心に憂があるからである。そのおみくじも恐らくは「凶」または「末吉」ぐらひのところで、「暗雲月をとざしてふかし、秋風地をふいて寒し」などゝおみくじの文面に出てゐたところを、心細く考へつめながら、歩いてくるらしい姿が私には見えるやうである。

右：『俳句に入る道』（大正13年11月）
左：新潮文庫版（昭和11年10月）

拡大解釈に過ぎる面もあるように思う。

『俳句に入る道』（昭和7・金星堂）の「一句一句の評釈」では、一碧楼の句の評釈も試みている。

○悔恨をやる短日の大爐あり　一碧楼

これは五七五で出来て居る。而して此句は音調の上でクワイコンといふごとき強い喉音（k）を重ねた言葉で初まり、次にタンジツ—タイロと舌音（t—j—t）が続く所も弱くなく、一句全体にはクワイ、ヤル、タン、タイロアリとaの母音が要所々々を占めて居るので、壮大な響きを発して居る。音調の上で先づきびきびした感じを与へる句である。（略）短日といふ季題をいゝ加減に置いたのではない、ほんとうにさう感じて置いた作者の心持が合点される。即ち『短日や悔恨をやるのに大爐あり』といふやうなのろい云ひ方とは感じが違ふ。斯様なのが所謂真個の調子上の問題である、先に述べた調律及び音調のことの如きは調子問題の枝末に過ぎぬ。（後略）

『新俳句座談』（昭和6・春秋社）巻頭の「放哉を語る」は、合同句評である。一例を上げておく。

○雨の舟岸によりくる　　放哉

一石路　「雨の舟」と置いた言葉の単純さ、「岸に寄り来る」といふ素直なリズム、その感じが実にしつくりと出てゐると思ふ。

秋紅蓼　「雨の舟」といふ言葉は単純ではあるけれども、余りに約めすぎて、概念化した点はないであらうか。

裸木　上手には云つてはあると思ふけれども、之に似た着想の句は少なくないやうに思はれる。

井泉水　取材からいへば、之に似たものはきつとあらう、然し、こゝまで深く到つてゐる句は、決して他に無いと思ふ。それは模倣でも之と似た所までは行ける、此句と紙一重を隔つ手前の所までは行ける、その紙一重の所が模倣ではつきぬけられない。さういう微妙な真理を此句が実証してゐると思ふ。「雨の舟」といふ言葉が約めすぎてゐやしないかといふ評もあつたが、私はそうは思はない。「晴の舟」とか、「風の舟」とか云ふならば、さういふ難もあらうが、「雨の舟」といふ如何にも雨の日の、雨にぬれきつてゐる、雨の感じになりきつてゐる船の姿があるではないか。それは、単に雨の日の舟といふ意味の、舟といふ意味の、舟といふ物体ではなくて、雨にいきづいてゐる、舟といふいきものの姿として出てゐる。（略）主観客観などいふ言葉では説明し難いが、此句を客観だけに見れば、実に平凡だ、作者の主観の映じたものとして見れば、其の「雨の舟」にじつと眼をとめてゐる作者の心は、其舟に作者自身のさむざむとした姿を眺めて、しんみりとしてゐる気持も読めるやうだと思ふ。

草田男と虚子の句評

句評は評者の俳句観が良く表れて興味深い。右に見てきた井泉水の句評とほぼ同時期に、中村草田男が「ホトトギス」雑詠句評会で発言したものを比較材料として上げて見よう。『中村草田男全集』16巻（一九八五・みすず書房）から引用する。

○虻のあとしばらく何も来たらずに　素十
印象批評のようなものを一言述べて見ます。この句は一見した処では二つの要素から成立って居るように思える。先ず時間的に云えば虻が眼前に居て活動していた過去の状態が（現在に於いても尚忘れられぬ程に）重きを為して居り、又虻が全然視界から消え去って居る状態も同様に重要性を持って居る。（略）虻の実体としての印象が、一つの大きな要素になり又、その虻が居て、そして今はいなくなって居ることから起ってくる現在の作者の胸中の感情が、又一つの大きな要素になっている。（略）今青邨さんが虻のあと、と云う言葉に就いて云々されたのに就て一考して見るのに、作者の心には虻がいた、という気持の上の事と同時に実体としての虻の実際印象が強かったことが、斯う云う表現法を執らしたのであろうか。この句は尚も時間と共に流れつつある作者の気持を述べて居るのであるが、にも不拘作者の気持はまとまりなく流れているのではなく、截然とした表現を得て、表現と共に完了して居る。（昭和7年2月）

○自らわがね浮きたる刈藻かな　　青畝

今の水竹居さんの最後の言葉を少し詳しく説明するだけであるが、「わがなり浮きし」とせずに「わがね浮きたる」と少し自働的に表現されて居る処が、此場合の刈藻の浮いて来た様子を宜く現して居ると思う。つまり古い池とか、濠とかのような動かない水であって、刈られた藻は水の動きに依って形を変えたのではなく、自らが浮いて来る、その動作に由って身をわがねたようになった事が直ぐに判る。又「わがね浮きたる」と云う言葉は、白い茎がちな水藻の妙美さをも現していると思う。（昭和7年10月）

素十、青畝の句ともに今読んでも表現技巧の高さを感じる句であり、句評も成るほどと思わせる説得力がある。一方で草田男の師である高浜虚子の句への左の批評は印象批評とか具体的批評とかの埒外にあるのではないだろうか。

○川を見るバナ、の皮手より落ち　　虚子

○滝茶屋の主のズボン破れをり　　虚子

（略）先ず最初に簡単にはっきりと言って了うとすれば、是等の二句が真の意味に於て甚だしく「近代的」なる傾向をとった句であるということである。こういうと近代的という言葉を其語感の表面的な華やかな範囲だけで漠然と受取って居る人々にとっては、或は甚だ横車的な不思議な言い様のように響くかも知れない。成程是れ等の二句には格別人々をして近代的なる材料だと承知さすような材料は用いていない、又、近代的だというような刺戟の強い心の動きも言葉遣いも現れていない。表面上、兎に角一応近代的の句のようには見えないものであるかもしれない。何時如何なる処でも屡々人の発見出来るような平凡さ、ささいな偶然事が平凡に報告されているかのように見えるかも知れない。私は其ささいな偶然事が偶然事の儘で飽く迄明確に把握され、其儘で何の意味をも付加することなく力強い生命のひらめきに迄高められて居る其処にこそ近代的な芸術の最も根本的である一つの態度がはっきりと現れて居ると思うのである。（後略）（昭和10年12月）

これを理解せよというのには無理がある。この二句に近代を認めるのは難しい。
この批評の前年の「ホトトギス」昭和九年四月号「雑詠句評会」に虚子も参加、草田男の句を評している。

○縁談や巷に風邪の猛りつゝ　　草田男

風生　（略）草田男君のいふのには、「俳句といふものは自然に対する熱愛からのみ生れるものである。無論自分の作句も総てこの本当に自然を愛好する心持から出来てゐるもの許りだ」そんな意味のことを云はれた。（略）同時に、草田男君の作句が其の所説を実証して居るものばかりであるといふ御本人の言葉については、その点は実は僕には判らないのだと云つて、白状して笑つたことだつた。（略）「巷に風邪の猛りつゝ」といふ言ひ現し方などに、いつも激しく動いてゐる作者の感じを汲むことは勿論出来るのであるが、其上に「縁談や」とかぶせて、一句として示された時に、何処に俳句としての完成があるのか、と云ふことになると少し判らなくなる。（略）

虚子　風生君の御説は無くてはならぬ論議である。俳句本来の面目はもつと単純な叙写であつて深い味を蔵するものであらねばならぬ。併し、かゝる句も折角芽生えて来て、こゝまで発達して来たものであるから、これを大事に育てねばならぬ。

俳句の句評は、例えば長次郎や古井戸などの茶碗の鑑賞に似たものがあり、如何に言葉を重ねても分かる人にしか解らないという面がある。井泉水が裸木の「枯木寒が来て寒詣り通る」の句評で書いているように、韻の巧みを賞賛した後に「是等は意識的に調整したのではなくて、おのづから斯うい ふ言葉がうまく並んでしまつたのだ」と書いていることとも関係してくる。茶碗の魅力も余人が形や色を似せて作っても別物にしかならなのと同様である。本来言葉で説明できるものではないが、敢えて感動を言葉に表すならばという試みなのだろう。

同じ『ホトトギス』昭和九年二月号の「雑詠句評会」で、虚子が川端茅舎の句「椎拾ふ一掬の風手のひらに」に対し、一掬の風といふよりも、寧ろ一掬の情趣を感じたものであらう。併し情趣と云つてしまつては味が無い。矢張り風のやうなひいやりとしたものを掌に感じたと解すべきだ。言詮に落ちてしまつては詩がなくなる。

といったように本来説明不要なものなのである。一碧楼、井泉水の句評を二章に亘ってみてきたが、以上のように考えるならば、一碧楼の印象批評も説明の不可を知った上でのものと解すべきだろう。井泉水のような句評は投句者にとって、あるいは入門者にとって親切ではあるが、かといってすぐ創作の参考になるかといえば、違うといえよう。ただ、俳句は創作の文芸であると同時に鑑賞の文学である。句会で披講の上手い者は俳句も確かなものを作るし、句会での批評は参考になる。しかしそれも続ける中で初めて効を奏するものである。そういう意味からも句評は、指導者としての芸の見せ所ではあるのだろう。

3　尾崎放哉と種田山頭火の短律句

『大空』と『草木塔』より

尾崎放哉と種田山頭火の人口に膾炙される句には、放哉の「せきをしてもひとり」、山頭火の「まっすぐな道でさみしい」など、短律句が多い。彼らの作品全体からすれば短律句の割合が多いとまではいいきれないが、代表句集『大空』（大正15）と『草木塔』（昭和15）から抽出してみよう。因みに放哉の場合、短律句はほぼ晩年の作品である。短律句の厳密な規定はないが、定型の十七音より少なくても構造的に初句二句結句の三構造を持つ作品も少なくない。切れ字の使用例は共に無い。何よりも口語表現であることは当時にあって注目されてよい。

尾崎放哉『大空』より

草枯れて枯れて兵営
めしたべにおりるわが足音
秋風のお堂で顔が一つ
朝早い道のいぬころ

足のうら洗へば白くなる
お祭り赤ン坊寝てゐる
小さい家で母と子とゐる
淋しい寝る本がない
朝月嵐となる
咳をしても一人
汽車が走る山火事
なんと丸い月が出たよ窓
雪の頭巾の眼を知つてる
隣にも雨のネギ畑
よい處へ乞食が来た
雨萩に降りて流れ
一人でそば刈つてしまつた
雪の宿屋の金屏風だ
わが家の冬木二三本
墓のうらに廻る
雪積もる夜のランプ
雨の舟岸により来る

放哉俳句集『大空』
（大正 15 年 6 月）

窓あけた笑ひ顔だ
風吹く道のめくら
山風山を下りるとす
雨の中泥手を洗ふ
渚白い足出し
霜とけ鳥光る

種田山頭火『草木塔』「鉢の子」「其中一人」「行乞途上」「山行水行」より

鴉啼いてわたしも一人
木の葉散る歩きつめる
踏みわける萩よすすきよ
へうへうとして水を味ふ
ひとりで蚊にくはれてゐる
山の奥から繭負うて来た
まつすぐな道でさみしい
しぐるるや死なないでゐる
水に影ある旅人である
わかれきつてつつくぼうし

『草木塔』山頭火顕彰会版
（昭和 31 年 9 月初版、四版昭和 36 年 7 月）

こほろぎに鳴かれてばかり

涸れきつた川を渡る

分け入れば水音

けさもよい日の星一つ

秋となつた雑草にすわる

それでよろしい落葉を掃く

まつたく雲がない笠をぬぎ

雨だれの音も年とつた

笠も漏りだしたか

鉄鉢の中へも霰

寒い雲がいそぐ

笠へぽつりと椿だつた

秋風の石を拾ふ

お正月の鴉かあかあ

落葉の、水仙の芽かよ

雪ふる一人一人ゆく

あるけば蕗のとう

椿ひらいて墓がある

いちりん挿の椿いちりん
ながい毛がしらが
うつむいて石ころばかり
お寺の竹の子になつた
明けてくる鎌をとぐ
朝の土から拾ふ
朝は涼しい茗荷の子
いつも一人で赤とんぼ
うごいてみのむしだつたよ
春風の鉢の子一つ
笠をぬぎしみじみとぬれ
一つもいで御飯にしよう
うれては落ちる実をひらふ
しぐるる土に捲いてゆく
病めば鷄がそこらまで
椿のおちる水のながれる
影もはつきりと若葉
おちついて柿もうれてくる

山頭火句集『草木塔』には、まだ「旅から旅へ」「雑草風景」「柿の葉」「銃後」「孤寒」「旅心」「鴉」と題された作品が続き短律句も多いが、ここまでにしておく。『草木塔』収録作品は大正14年以降の作品だから、放哉の短律句が山頭火に影響を及ぼしていることは間違いない。

比較すると見えてくる両者の本質

放哉と山頭火ともに研究文献は多いが、直接二人を比較したものとしては、『俳句研究』第四十巻二号（昭和48年2月）「放哉・山頭火の世界」が、荻原井泉水、瓜生敏一、金子兜太、永田耕衣、上田都史、山口聖二、伊藤完吾、井上三喜夫、松野自得、井沢元美、大山澄太などの執筆があり、貴重な文献である。特に上田都史「放哉が終わって山頭火が始まる」は意外な視点を指摘している。

○山頭火は一八八二年十二月三日に、放哉は一八八五年一月二十日に生まれている。おおざっぱに年だけでいうと山頭火の方が放哉より三年兄となる。

○放哉の放浪漂泊が始まったのは、滿洲で湿性肋膜炎をわずらって大連より帰国、京都市左京区鹿ケ谷の一燈園に入った時からで、一九二三年十一月二十三日のことであった。山頭火は、一九二六年四月、肥後植木町在の味取観音堂を出て、一鉢一笠の行乞漂泊の旅にのぼった。（略）山頭火が味取観音堂を捨てて漂泊の第一歩を踏み出した同じ月に、放哉は四十二歳で、その特異な人生を終わっている。放哉が亡くなってから山頭火は十四年も長生きした。

○放哉の句が『層雲』に掲載されだしたのは（『層雲』創刊後の）五年後の一九一六年である。面白いことは、この年に山頭火は『層雲』の選者の一人になっている。（略）放哉が『層雲』の選者になったということは寡聞にして聞かない。

○高く評価されている山頭火の日記や俳句は、放哉が他界して後の十四年間に書かれたもので、放哉の俳句や書簡や随筆は、山頭火の十四年間以前の三年間に遺されたものである。正確には二年と四ケ月で、山頭火の方は十三年六カ月である。

○山頭火の漂泊が始まった時、放哉の揺るぎない生死観念は、山頭火の手の届かないものであった。山頭火が放哉の「入庵雑記」を読んで、放哉を羨望したのは当然で、山頭火の持っていないもの、持ち得なかったものが放哉にはあった。放哉からいえば、その逆であるが、放哉は山頭火を羨ましいと思わなかったに違いない。だから、山頭火は放哉に会いたいと思ったが、放哉にはそれほどの気持ちはなかったのではないか。

放哉と山頭火の短律句を比較すると、放哉句は最初にも書いたように、音数は例えば「朝早い道のいぬころ」のように十二音しかなくても、「朝早い」「道の」「いぬころ」、あるいは「汽車が走る山火事」の十一音も「汽車が」「走る」「山火事」の三要素からなるなど全体に俳句的な構造をもったものが多い。一方、山頭火は、放哉の「咳をしても一人」「墓のうらに廻る」など単純な構造の句をさらに展開し

分け入れば水音

笠も漏りだした
ながい毛がしらが

など、既成の俳句観を覆す作品を、しかも口語で表現した。やはり斬新な俳句を生み出したといえるだろう。ただ放浪漂泊といっても、放哉は死に場所を見つけるべくあてどない流浪を強いられたのに対し、山頭火は放浪そのものを求めたというか、甘えの極致に近く楽しんでいる風がある。その差は果てしなく大きいだろう。

林桂は、彼が属する『鬣』の同人西躰かずよしの短律句集『窓の海光』(二〇一七・風の花冠文庫)の「あとがき」で、放哉と山頭火の短律句について、次のように書いている。

最も著名な短律句の二人に共通するのは、その「境涯性」である。孤独な堂守の放哉、漂泊の乞食の山頭火。二人は短律句に自らの境涯を差し出しているように見える。そして、その「境涯」が、句の読みの方向を紡ぎ出している。例えばである。仮説である。川本皓嗣氏は、俳句の構造を「干渉部」「基底部」の二つから説明している。詩的屈折を持った惹句の「基底部」と、その読みに方向性を与える「干渉部」という構造である。俳句構造にあって、概ね「基底部」は長句が担い、「干渉部」は短句が担う。例えば「閑さや岩にしみ入る蝉の声」(松尾芭蕉)では、「閑さや」が「干渉部」、「岩にしみ入る蝉の声」が「基底部」である。短律句は、この「干渉部」を省略して、そこに「作者」の「境涯」を添えて読むことを求めているように思える。「岩にしみ入る蝉の声」だけ書いて、芭蕉の境涯を連想させるような構造である。短律句では、詩的に深い屈折表現を求めるというよりは、独語のように、呟きのようなゆったりとした文体が採用されている。

また、短律の問題からはそれるが、『俳句』第四十四巻七号（平成7年7月）「大特集放浪の俳人山頭火の生涯」収録の、坪内稔典「山頭火俳句の特色——自己を開くリズム」も放哉と山頭火を比較、重要な指摘をしている。

坪内は「種田山頭火の句の特色は、自由律でありながらも、明るく楽しむようなリズムを持っていること」とした上で、「分け入つても分け入つても青い山」「雪ふる一人一人ゆく」「いちりん挿の椿いちりん」など同音の反復、対句的表現による句をあげ、これらがリズムを生み出すだけでなく、例えば「はれたりふつたり青田になつた」「あざみあざやかなあさのあめあがり」など「た」「あ」の頭韻によって、微妙な音の交響を意識的か無意識かは判然とはしていないが作り出していると指摘している。

放哉句については、

障子をあけて置く海も暮れきる
せきをしてもひとり
月夜の葦が折れとる

前半と後半のこの対照的な音の響きが句のイメージを印象深くしている、と指摘している。その上で、

そのちがいは何を意味しているのだろうか。放哉の表現は、もっぱら自己を掘り下げようとするものであり、音の響きは自己の心象を鮮明にするために作用している。それに対して山頭火は、自己を掘り下げることに放哉ほどには徹底していない。むしろ、自己に沈潜するよりも、自己を他者に向かって開こうとしている。

と、放哉と山頭火の差とそれぞれの本質を突いている。これは坪内が「俳句ははたして厳密な自己表現なのだろうか」という疑問から導き出された視点である。坪内は、「碧梧桐は自己を制約するものとして定型を考え、そして定型を否定したのだが、むしろ、自己を制約する点に俳句の特色があると考えるべきではないのか。つまり、自己の厳密な表現へ一直線に向かわず、自己を他者へ開いてゆくところに俳句の特色があるということ。このように考えると、山頭火の同音の反復、対句的表現は、五七五音の定型と同様の働をするものだと考えられる」と書いている。俳句の制約が十七音定型や季語の使用を一般的に意味することは勿論だが、それを核とした上で、それぞれの独創は首肯するとい

う考え方で、非常に重要な指摘だと私は考える。
坪内の代表句である、「三月の甘納豆のうふふふふ」「たんぽぽのぽぽのあたりが火事ですよ」が生れた背景も自ずと理解できる。

井泉水の放哉への強い思い

ところで、自由律俳人として最も著名な放哉と山頭火は、共に井泉水の弟子であるのだが、本書に収録した「荻原井泉水著書目録抄」をみても明らかなように、放哉については多くを語り（書き）、遺稿句集『大空』を編み、書簡集や全集を監修しているが、山頭火については、もちろんいくつかの文章は残しているものの意外に少なく単独の本もない。春陽堂の『定本山頭火全集』全七巻（昭和48）では斎藤清衛と共に監修者になっているが、実際の編集は大山澄太に負うものだろう（高藤武馬も編集の一人）。

井泉水晩年の自伝『此の道六十年』（昭和53・春陽堂）は、『層雲』昭和44年から47年連載の文章をまとめたものだが、明治末から関東大震災直後の大正末までの回想で終わっている半生記である。三十五篇から構成され、十九篇目に「山頭火現る」がある。しかし全体から見ると放哉についての記述の方がはるかに多い。山頭火がその面目を躍如としはじめるのは、震災後の昭和期に入ってからというのもあるが、やはり理由があるような気がする。『此の道六十年』の最終回である「劫火」に次のような記載がある。

大震災のとき、放哉は朝鮮の京城にいた。（略）京城の新聞では、それが事実よりもオーバーに報道されたらしい。東京全滅、生存者なし、天皇陛下の御行衛不明というふうに——。これが放哉脱出のヒキガネとなった。彼は会社を辞職し（略）飄然として日本へ帰ってきた。（略）彼のサラリーマン生活にあっては、一向に芽の出なかった彼の句境が、無一物生活という心境において、新しい芽をふきだした。常照院から須磨寺へ、常高寺へ、そして遂に小豆島の南郷庵へ、僅かに二年ほどの間であるが、この間に彼は、層雲における放哉時代を作った。そして、その心境は山頭火に引きつがれた。この原点は大正十二年の大震災の作りだしたものと言ってもいいのである。

井泉水は、ここでは放哉の酒癖によるマイナス面は殆ど取り上げていない。震災に起因する妻や母の死による自らの心境身辺の変化。懺悔と反省を求め、『層雲』編集の実務を小沢武二に任せての京都での隠棲生活が開始された。それは『層雲』六十年史に一つの転機をもたらすと共に、放哉の出現が転機を与えたと高く評価している。それがこの半生記の締めくくりともなっている。

一方で、山頭火については、前記の「山頭火現る」の冒頭に次のように語られている。

層雲初期の作家の有為なる人々は少なくないが、後年、世間的に著名になったのは種田山頭火である。かれが著名になったのはその作品よりも、作品と生活との関連においてである。むしろ、彼の特異なる漂泊的な行乞生活の、人間としてのありかたが、自然に脚をつけた大地の心として、現代の、とかく自然に乖きがちな多くの人の心に訴えたからである。（略）放哉は〝坐る〟ことに徹し、山頭火は〝歩く〟ことに徹した。その相違はあるけれども、〝無一物無尽蔵〟の心は同じである。そして、それを宗教に代わって芸術としたことも同じである。山頭火の孤寒なる生活は大正十五年（昭和元年）からはじまる。放哉の行き方を山頭火はバトンタッチをした形である。

これらの感想は数十年を経てのものである。井泉水の思いと顕彰がなければ、放哉は現在でも埋もれた存在であったと思われる。山頭火は井泉水が乗り出さなくとも、大山澄太をはじめとする人々によって遺稿、遺墨類が早くから集められていたし、生前に中央の文芸ジャーナリズムに登場していた。放哉の短律句がなければ山頭火の短律句は生まれなかったが、山頭火は俳句を一歩前に進めたと言えると思う。その意味で井泉水の山頭火評は厳し過ぎるように思う。

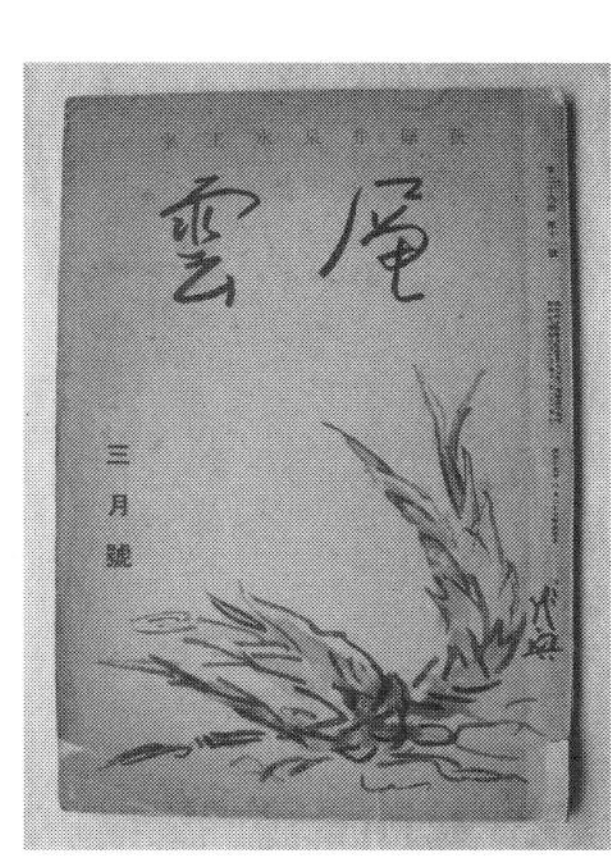

『層雲』第二十九巻十一号
（昭和 15 年 3 月）

数多い山頭火文献の中には、理想化され易い山頭火像に対し、実際の姿はこうだったという本も見受ける。しかし、人の真の姿など誰がわかるのか。表現者の評価は作品がすべてである。作品に添うように演じる表現者は少なくない。

ところで、放哉への井泉水の思いの深さは何に由来するのか。『層雲』昭和十五年三月号に「同窓放哉を語る」という座談会が掲載されている。放哉没後十四年目の企画だが、出席者は井泉水を含む旧制一高同窓生十二名で、東京電燈会社副社長・田辺隆二、太陽生命保険会社常務取締役・難波誠四郎、日本通運株式会社取締役・神山政良、日本勧業銀行監査役・近藤有曾などいわゆるエリートたちである。

彼ら同窓生が知る学生時代の放哉は快活で後のニヒルな感じは全くない。一番発言の多い東京電燈会社の田辺は、放哉の美しい従姉、芳江との悲恋についても語っているが、最後に次のように言う。

とにかく、僕は尾崎が好きだつた。まあ云はば惚れてたわけだね。放哉はさういふ男だつた。いぶしをかけたやうな感じの男だつた。それが誰にでも惚れられると云つたような男だつた。感情をづけづけと現さない。声は良くても歌はなかなか歌はない。表立つたり目立つた事はしない。そんな男だつた。

その言を受けて、井泉水が「大学時代に性格の転換があつたのだね」と言うと、田辺は「それがあの失恋の結果なのだよ」と答えている。

放哉はドロップアウトしてしまったが、本来であれば彼等と同じ階層に属していたはずであった。その意味では井泉水もアウトサイダーだが、俳句界の一方の権威者である。彼らには共通のエリート意識があったのだろうと思う。ただ、落魄者への同情だけではなく、俳人として孤高をひそめた放哉の才能は、誰よりも井泉水が感知していたのである。『層雲』の衛星誌の一つ『俳壇春秋』の大正十五年四月号に掲載された「大阪俳談」で、大橋裸木、内島北朗らと『層雲』同人の句について論議しているのだが、放哉の有名な左の短律句について次のように語っている。

足のうら洗へば白くなる　　放哉

裸木　足のうら洗へば白くなると云ふだけでは、其だけの事ではありませんか。調子も未完成でせう。

井泉水　其だけの事に面白味がある、調子も之は之でよい。之に整然としたリズムで出たらこれだけの味が出ないかも知れない。

（略）

北朗　一体詩的感がせまらないではないか、之は詩ではないやうだ。私はどうも先生の様によい解釈は出来ない、ほんの何でもないつまらない言葉に終つてゐると思ふ。

井泉水　そんな事はないよ、こんな何でもない事に驚いた放哉の驚きは立派な詩だ。その驚きを驚きのまま無技巧に投げ出した処をみてやらなくてはいけない。

北朗　感激をただ土を丸めて投げ出した、それが芸術とは云へない。ロダンのバルザツクの像は決して土のかたまりではない。

井泉水　「土」を投げ出したままでは芸術にはなるまいが「心」は投げ出したままでも詩になり得ると思ふ。

これはまだ放哉生前の評である。井泉水が認めなければ放哉はやはり埋もれたままだったであろう。

4　橋本夢道の長律句

二十～三十代の句

前節で、放哉と山頭火の短律句を取り上げたが、真逆の長律句についても見て行きたい。荻原井泉水、中塚一碧楼にも二十音を超える長律句があるが、『層雲』から主に派生したプロレタリア俳句には殊に長律句が多い。ここでは、橋本夢道（むどう）の第一句集『橋本夢道句集　無禮なる妻』（一九五四・未来社）から抽出してみよう。同句集は大正12年頃からの句作四千句余りから約千句を選び集めたもので、二十代、三十代、四十代の三部構成である。昭和9年に『生活俳句』を栗林一石路と共に創刊するが、プロレタリアの生活感がにじみ出ており、全体で夢道の半生が辿れるものになっている。巻頭に、荻原井泉水、野間宏、秋元不死男、栗林農夫（＝一石路）の序文が付く。長律句は二十代、三十代までで、昭和16年の所謂「京大俳句事件」以後は極めて少なくなる。徳島の貧しい農家に生まれた夢道だが、昭和11年には、あんみつで知られる銀座の甘味処「月ヶ瀬」を経営した。ここではおおよそ三十音以上の句を紹介する。平仮名表記は句集による。

二十代（大正12～昭和8）

ひるすぎきんぎようりのこえにゆきすぎるおんなよびとめる
人の世はわが生きの悩みいれまじとする夏雲を見ている
けさはほばしらが見えないほどに隣りの屋根から霧がふかい
家を出てから大きい橋をわたるたのしいまいあさがある海がある
故郷の冬へおくる金がない大きい日ぐれの国旗であつた
ふたりで死ねる心であつたふたりが生きている冬が来ている
遠い船のけむりがゆききする埋立地の枯草にすわつている
夕陽の砂にふたりがあるいた跡をのこしてあるいている
潜水作業の水のおもてに沸く泡を仕事がなくて見ている
臥ている妻の母が来て銭湯へ行く五銭にぎつている
泣けるだけ泣いてしまつてから彼を葬るに兵営の規則
死亡室の白布の下の死顔もう一度見たい母が叱られる
班長も来てくれ骨ははさみ合いこれは軍帽の星章か
死んで、弟は笑つて父にふりむいて行つた入営の日の顔が別れか
木の芽、巡査がかこんでいるこれがメーデーの集団とおもえ
雑草に昼寝の風が吹いてここにも人間が余つているんだ
べつとり汗したシャツの不快なエレベーターで今日もおろされている
どこかで何か咲いていそうなこんな日の椿を妻が挿してあつた

左：橋本夢道句集『無礼なる妻』（1954年8月）
右：栗林一石路句集『行路』（昭和15年10月）

無職の日無職の顔を剃りつつ児が大きくなつてゆくと思う
あつと云う間に死んだ電気工夫の賃金や生活を誰も知ろうとしない
一文も無えと云う戦斗的な眼の色は働いてものんでしまう程の金だ
大阪の夜の灯に河はゆれてホテルの灯で妻に書く便りが恋めく
搾取され折り重なつた暗い顔びつしり詰めて東京が呻く朝の電車
俺達の晩のコップが贅沢だとうぬ等にこのハンマー食わせてやるのだ
厭だという俺におじぎをしろと親父がペコペコしていたみじめな記憶だ
人足の子だからかまわねえのか子供と子供とどこが違んだえ、え、え
考えて見ろ彼奴らのたばこ一本にもつかねえ金でこうして夜どうし血を搾られる

三十代（昭和８〜昭和15）

「俳句生活」「抵抗」「ファッショ異変」「故郷のこと」「渡満部隊」「徳島北方」「嬰児日記」「悲境前」「父の死」から構成されるが、「徳島北方」まではほぼすべてが三十音以上の長律句である。すべてはあげられないので、選んで掲載する。

夜はもう秋の抱いた肉体も乳房も胸にまどかな柔和だつた
やわはだの匂いも汗して夜はしんしんと平和な肉体への嗅覚
妻よたつた十日余りの兵隊にきた烈げしい俺の性慾が銃口を磨いている

拾円紙幣がもつ魅力に生活があつてもう一枚しかないと云う妻
鉄臭いそれでいて筋肉が柔らかで遅い銭湯のいつも君たち少年工
病院が妻の命を売り買いするともしないとも思うまい悲惨な熱だ
咽喉がひつつるをうつたえようもない空気の黒龍江が胸に横たわる
おさえがたい震える脚をたてていまとなつた馘首をじつとからだで聴いていた
理不尽な冬は生きている社会にひどい差別をつけて、脚まげてねる
巨大な重力の下、眼も手も全身の神経が奪われた労力へロープのびきつている
無智で労働より知らないものなぜここに手錠がこんな春近い窓へ悲愴な思惟
ふと手錠を見ている僕の思想のかたわらぼんやり希望のない職務にいる
一ぴきを送つてやるわずかな大きい鮭の階級制が、この一ぴきが遠い肉親の頬骨に動く
父の手紙が今年も深い雪のせいだと貧乏を云うて来る真実なあきらめへ唾をのむ
ここに働く処女らのその眼その腰の形も蹂りんされる生活しかない社会
詳報のない号外で殺ばつな軍の上層部にころされたその人の名のみ
稲妻さらに尖る暗夜の炸裂にへたへたと子たち妻の貧しき眼
なみだを拭いて、わたしは親に売らせたが、買われてもこれはわたしの涙
俺たちにまた父のような生活があつて磨かされている銃口
大根すくすく育てば仲買が早やもう小作畑を見にくる
狂喜のように火にぬくもる短い時間を憎しんでもう離れてゆけばりうりう鉄を削る

無心に食う子の坐りようを正し飯の白さを妻がもつてやる
どよめきから部隊をもつて行くレールの鉄錆も五月
茫茫と何処へ部隊の中に眼をしばたたいたひとりの兵隊
骨身をくだいてわしら飢饉のように麦飯をこの土間で食う一生
ふるさとは父も中気で生きていて何程の借金で公判に立たされる母
悪鬼のように母は生き六十年をハダシで何を思う
百姓の生きのすがた終身囚の如く老いこけて笑わぬ故郷

自由律からプロレタリア俳句へ

プロレタリア俳句については、『プロレタリア短歌・俳句・川柳集』(『日本プロレタリア文学全集』40・一九八八・新日本出版)所収の谷山花猿の解説がコンパクトにまとめられていて参考になる。

自由律俳句は、荻原井泉水主宰誌『層雲』(一九一一年創刊)において展開されていった。井泉水のみずみずしいポエジーを持った俳句作品とヒューマニスティックな俳話は、一九一〇年代の青年を引き付けた。その中に、栗林一石路(一八九四—一九六一)、橋本夢道(一九〇三—一九七四)、横山林二(一九〇八—一九七三)、神代藤平(一九〇三—一九八七)などがいた。一九二〇年代に青年であったこれらのひとびとがプロレタリア俳句の主要な担い手となった。(略)

『層雲』においてプロレタリア俳句が台頭し、これを巡る論議が活発化したのは一九二七年の金融恐慌、一九二八年の普選実施・共産党弾圧といった社会的大変動の中であった。文化面では全日本無産者芸術連盟（ナップ）結成に刺激されたものということもできよう。（略）

『層雲』誌上では、プロレタリア意識の強い俳句作品が登場するとともに、その賛否が論議された。一九二八年四月、石原霊芝が「栗林一石路とプロ俳句」を発表、プロレタリア俳句を積極的に支持した。これに続き、否定的意見の井手逸郎・内島北朗・杉崎正作と、肯定的な賀茂水（＝林二）・神山木石水・藤惣太との間で論争が激化した。一九二四年四月、最初のプロレタリア俳句集とも称すべき一石路句集『シャツと雑草』が刊行された。『層雲』誌上では、一石路選の雑詠欄に尖鋭な俳句作品が多く掲載されるようになるとともに、保守派からの反発も強まった。『シャツと雑草』の批評会を兼ねた「鎌倉俳談」（一九二七年七月二十二日）で、北朗は「芸術は階級意識を超越しなければウソだ」と、一石路の作品を批判した。井泉水は両者の意見はよく分かるといいつつも、「俳句即ちスローガンだと考えない」と間接的にプロレタリア俳句を否定した（荻原井泉水『新俳句座談』一九三一年）。これに対し、林二は、プロ俳句＝スローガンという批判は中傷であると反論し、「端的に書き下ろされたスローガンの中にひそむポエジイを、プロ俳句主張者は俳句へ引き出そうと言うのだ」（林二「プロ俳句に関する走り書き的覚え書」・『層雲』一九三〇年四月）と述べた。（略）

一九三〇年七月、『旗』が創刊された。一石路・武二・夢道・林二・藤木杜子・北村春畦（一八六八―一九三三）・長山史郎（別号・林冬二・一九〇五―一九五〇）ら、かなりの人数の『層雲』系作家が参加し、第四号（一九三〇年十一月）まで発行された。『旗』が短命に終わったのは、井泉水からの圧力や生活問題によって、武二らが運動から手を引き、原稿も集まらなくなったからだ、と云われている。

その後、『プロレタリア俳句』『俳句』『俳句の友』などが創刊されるが、発禁処分が続く。その中で注意すべきは、プロレタリア文学陣営の中で、詩人たちから提起された「短歌・俳句の詩への解消論」で、これにより青年層のかなりの部分が詩の方へ去り、俳句に留まろうとした一石路・夢道・林二らは実作よりも「俳句解消論」との論争にエネルギーを奪われ、その頃の作品は少ないという。この件は、『俳句』昭和41年10月号掲載の横山林二「プロレタリア俳句の流れ」が詳しい。

先に引用した夢道の長律俳句を見ても、俳句の概念からは逸脱している。その意味でも「短歌・俳句解消論」が出て来るのもあながち否定できない。

なお、花山は解説の中で、栗林一石路のプロレタリア俳句観を左のように要約している。

プロレタリア俳句は、「プロレタリアの眼をもって、その感情を透して詠うところの俳句である」（栗林一石路「プロレタリア俳句の主張とその検討」・『現代結社篇』一九三二）。俳句という伝統的な短詩型文学に科学的社会主義に基づく階級意識を導入し、労働者・農民の闘いを力強く描き、資本家・寄生地主・反動的政府・軍部などを批判し、かれらの悪らつな意図と行動を暴露した。このような社会的矛盾と闘う内容を俳句に盛り込むとき、有季定型文語の伝統的制約を破る無季自由律口語の文体を採り、連作方式を用いざるをえなかった。

前節の短律句のところで、坪内稔典の指摘する放哉と山頭火俳句の違いを紹介したが、二人とも自己を深く掘り下げるにしろ、自己を他者へ開放するにせよ、手段として俳句形式を選んでいる。選んだというよりは彼等にはそれしか方法がなかったというべきか。夢道や一石路はどうだったのだろう。栗林一石路の句集『行路』（俳苑叢行・昭和15・三省堂）は、文庫判サイズの句集で、昭和15年から昭和9年へと逆編年式編集である。長律句が見られるのは昭和12年から10年にかけてである。橋本夢道も同様であった。一旦大胆に長律にしたものから、無季が多いが十七音定型に回帰している。左のような十七音を超える作品も明らかに俳句形式を逸脱していない。

だらしがねえやと政どんは笑ふ兵隊なれば
値のよい蠶を信ぜず旱の草を刈る
妻も子も萬歳もないくたくたに荷を舁いでくる
故国の最後ともなんともただもう暗いタラップを踏む

夢道の長律句には、ある風景を切り取って描く象徴性よりも、劇的なドラマが描かれている。具体的である分、俳句性からは逸脱してしまっているのだろう。それは長律句の宿命ということではなく描く主体の問題、何をどう表現するかという点による。

一石路に比べ、夢道は評論執筆が少ない。『橋本夢道全句集』（一九七七・未来社）には、既刊句集以後の作品や、評論、随筆、日記・書簡が収録されているが、殊に自作に関するものは僅かに三篇で、四六三頁の内の三頁だけである。「私は自分の作品に自註自解をやることもいまだ試みたこともない」（一九五二）とも書いている。『現代俳句全集』第五巻（一九五八・みすず書房）では自作掲載の最初に一頁の短文を寄せているが、「人はいろいろいうけれど、私の作業はひとり合点でもよい、長かろうと、短かかろうと、俳句という限界の中で許されるところまでやるほかないと思っている。」と書いている。「俳句の限界」と書いている点に注意したい。

次に、中塚一碧楼の長律句を上げてみるが、夢道の句と比較すればその違いがよく分かると思う。『一碧楼句抄』（昭和24・巣枝堂書店）から引用する。

鉋屑の出る有様こそ面白し棟梁はこの朝識りぬ
坂町ででくわしてしまつて黒い襟巻をしとる
闇から来る人来る人この火鉢にて煙草をすひけり
棗を食ひこぼし事もなう手を切らうとするも
夫婦は赤子があつてぼんやりと暮らす瓜を作つた
此木がきつと芽立つてあなたが私にひきずられる
夏朝貧民の児が引抱へたる一つのキャベツ
わが蓬頭を擲るなしか今日もこの葱畑をゆく
無産階級の山茶花べたべた咲くに任す

枯芝の丘の家から誰も出て来ない道
雨の日のこどもとあそぶ太鼓を打ち太鼓をころばし
水母が浮いては浮いては出舟出てゆく
子を生し子を生して棲まふに赤いゆすらうめ
能登が突き出で日のてりながら秋の海
とつとう鳥とつとうなく青くて低いやま青くて高いやま
松の木のすがた又の松の木のすがた冬の日ひかり
葡萄を食ふ明るき窓を持つそれほどのしあはせに男
ひとつふたつ春蟬鳴いてゐる方へ松陰神社へまゐる
機関車とそれはすつかり別ものかまきり
垣越えて来しよ枯草をしばらく歩いたでもあらう
第三の男妻帯秋の日屋根より出づる太陽

以上、『一碧楼第二句集』『朝』『多摩川』『芝生』『杜』の大正2年から昭和10年までの句から抽出した。長律句といっても、夢道の句と比較すると遥かに音数が少ないが、一句にドラマ性を持たせている点では共通している。山頭火の句と同様に反復、対句を用いた句が多く、生活のリアリズムをぶつけてくる夢道や一石路の句と違い、詩・言語芸術としての俳句性は維持しているように思う。

『俳句生活』の創刊

「短歌・俳句の解消論」によって混乱したプロレタリア俳句陣営の中から、橋本夢道・栗林一石路・神代藤平・横山林二らによって、一九三四年（昭和9）に『俳句生活』が創刊される。その意図したところを、横山が戦後「プロレタリア俳句運動の展開と『俳句生活』」（『自由律文学史』新俳句講座第一巻所収・昭和35・新俳句社）と題して詳しく書いている。

「俳句生活」の創作方法――それはレアリズムである。唯物弁証法とか、マルクス・レーニン的とか、あるいは戦斗的、とかいう名称がかぶさらない、生活の中に詩を、現実の中に詩を、というレアリズムである。（略）

わたしは「俳句とレアリズム」で、「現実は一つの核を持つ、今の時代ではその核は現実のはらむ矛盾の中心としてあらわれる、レアリズム俳句はその核を的確にとらえることにある、とらえられ、表現された核、そこに矛盾は凝結している」とした。現実の模写ではなく、何がそこに矛盾をもたらせているかというレアリティの追及を強調した。（略）

ファッショと暗黒――一言にしていえば「俳句生活」の全生涯は、戦争拡大にもまれつづけ、その不安の波の中で、いかに抵抗するか、いかに俳句を純正詩として守るか、の斗争であったといえる。

『俳句生活』は一九四〇年（昭和15）まで二十八冊を出して終刊する。横山は『俳句生活』に掲載さ

れた代表的作品を紹介しているが、長律句が多い。夢道、林二、一石路の句六十句余りが記録されているが、定型に近いのは、

林二の作品十六句

海辺の枯草噛みかみ軍馬らいなくなる
軍馬らの肋骨あらわ海へ呼吸す
日暮の耳が弾道聞いているような
湖になる日をその毎日を飢えて冬へ

一石路の六句

灰色の雪と見るにただならず二月二十六日
冬の日あたる議事堂と凶作地方へ澄む空と
刈らぬまま枯れたうちの田の氷を走る鼠か

等があるのみだ。「純正詩としての俳句」の「純正詩」の規定も大切だと考えるが、その点は曖昧なのではないだろうか。

尾崎放哉、種田山頭火、橋本夢道の句を中心に短律句と長律句について見てきたが、上田都史著『自由律俳句史』（昭和50・永田書房）に「短律と長律」という一章がある。九頁ほどの短章だが、短長の

両極端の句を紹介していて興味深い。要約すると次のようになる。
『層雲』の同人だった青木此君楼（しくんろう）が「一と鉢の黄菊」という句を作って、『層雲』に掲載した。ところが井泉水は『層雲選集』掲載に際し「黄菊の一鉢」と添削した。こうしなければ俳句にならないという理由だった。しかし、此君楼は「黄菊の一鉢では、鉢だけしか出ない。私は黄菊の生命をうたいたいのである。そのためには、一と鉢の黄菊でなければならぬ」と言って、『句集・此君楼』には「一と鉢の黄菊」と元に戻して掲載した。そんなことがあって此君楼は一九四〇年に『層雲』を去り、『白嶺』『新俳句』によって作品を発表するようになる。そこでますます短律に徹して、左のような句を発表した。

かお　青木此君楼
いろ　青木此君楼

それぞれ独立した句で、「すべての情趣的なものを捨て去り、もっとも質素な表現によってこそ、幽玄の味が出る」という考えである。
一方で、口語俳句の松本和也が一九五九年四月に刊行した句集『かこかんりよう』に掲載した五十五音の作品を、上田は紹介している。

空つきぬける青さ二番草三番草ととつても稲のうち側からはえてはもうこれ以上のびなくなつた

松本は「俳句は孤立に走り、無責任な省略、抽象・屈折をやめるべきであり、広い範囲から具体的な事実を率直に受け入れる」べきで、「俳句は当然長くなり」「長くなくてはいけない」という考えだったらしい。

上田はこうした句が生れてきてしまう原因は、井泉水や一碧楼が「自由」さを「俳句」に先行させて是としてきた故だと書いている。その上で、「俳句音数の原点である十七音を中軸として、上は二十二音、下は十二音」という規定（上田は生物学のブラキストン・ラインという用語を用いている）を設けるべきであり、音数の無節操は、建て前論からいえば定型俳句にもある。その規律は、自由律俳句だけでなく、現代俳句のすべてに適用するものである。永田耕衣氏の言葉をかりるならば「破調は、定型を守る精力的な溢れの形にすぎぬ」という、「溢れ」来たった音数の伸びと、自由律俳句の音数の抑制によって両者が出会う接点こそがブラキストン・ラインであるとしている。

十二音から二十二音というラインは、上田が『層雲』『海紅』系の句集から検討して導きだした基準であるとのことだ。具体的数字をだしてしまえば、やがて同じことが繰り返されるだけのような気もするが、「自由」が「俳句」に先行すべきではないというのは正論と思う。俳句は基本的に制約の中で如何に想像力を発揮するかという文学であり、スポーツ同様にルールを無視してはかえって文学としての豊かさを失ってしまうと私は考える。

5 改造社『俳句三代集』別巻「自由律俳句集」

別巻扱いされた自由律

戦前の日本の出版物は、昭和11年から13年にかけて造本上のピークを迎えた。その後、日中戦争の長期化の中で、昭和15年には大政翼賛会が発足、あらゆる文化面での経済統制、内容面での思想統制が強化され、物資不足とも相俟って出版物は造本上も内容的にも劣化していく。

そうした時代状況の中で、山本実彦（さねひこ）が経営する改造社は、左翼文献の出版と同時に体制に迎合した国策出版にも積極的で華々しい出版活動を展開していた。戦前日本のジャーナリズム弾圧の象徴である横浜事件は、雑誌『改造』編集部から多くの犠牲者を出したが、『改造』の販売部数は日中戦争の泥沼化に並行して増大していった。戦争は出版に多くの利益をもたらしていたのである。大正末期から昭和8年くらいまでの左翼思想隆盛期には、プロレタリア芸術やマルクス主義文献に多くのベストセラーが産まれた。出版常識からは利益を得るのは困難な短歌や俳句の分野でも、折からのモダニズム芸術の影響下、未曽有の活況を呈しており、その趨勢を捉え総合誌『短歌研究』『俳句研究』を創刊し、また、国民的大歌集と称して、『新万葉集』を企画成功させ、続いて『俳句三代集』を計画した。『俳句三代集』は、全九巻別巻一冊が昭和14年から15年にかけて刊行された。四六判で各約五百頁、

『俳句三代集』別巻「自由律俳句集」
（昭和15年4月）

予約価格二円。表紙は雲母ひきの和紙に雲形のような模様（煙霞）を入れ、背文字は墨の箔押し、見返しも「落葉」と題された多色刷り、箱は和紙の貼り箱で貼り題箋。天金は施していないが、豪華な造本である。

本編最後の第九巻「新年之部」巻末に、山本実彦による「『俳句三代集』の完成」と題したあとがきがあり、出版の経緯や収録作品の応募（募集）要綱が解説されている。それによれば、『俳句三代集』は、昭和12年『新万葉集』の姉妹編として企画され、13年4月に刊行発表された。顧問・高浜虚子、審査員・青木月斗、阿波野青畝、飯田蛇笏、臼田亜浪、大谷句仏、富安風生、原石鼎、松根東洋城、水原秋桜子、渡辺水巴、評議員には池内たけし、伊藤松宇、大場白水郎、寒川鼠骨、鈴鹿野風呂、野村泊月、長谷川かな女（唯一の女性）、村上鬼城、山口誓子、小野蕪子など二十八人が選ばれた。このメンバーには自由律の俳人が一人も選ばれていない。自由律俳句については本編九巻が刊行後、『層雲』主宰の荻原井泉水と、『海紅』主宰の中塚一碧楼が審査員となり、公募した無名俳人と著名俳人自選句から三四四八句を俳人名の五十音順に収録した別巻が刊行された。後の文学報国会でも俳句部門は当初は伝統俳句の第一部と、自由律及び川柳の第二部に分けるなど、俳句とは一線を画すものとされていたが、『俳句三代集』でも同じ扱いがなされたといえる。

なお、審査は応募作品から「二点句を以て入選となし、応募句四万五千余句より三千三百二十八句を得、これに審査員荻原井泉水・中塚一碧楼両氏の自選句各四十句と河東碧梧桐氏の無審査句四十句合計三千四百四十八句を収めた」とあるが、本編の伝統俳句と同様に、「著名俳人より四十句以内の自選句の提出」を要請したと思われる。左に多数句収録の俳人名と収録句数、及び収録第一句を示しておく。●は『層雲』系、○は『海紅』系である（両誌に属さない俳人は空欄）。巻末に収録俳人の作者略歴が掲載されている。およそ一頁に二十三名で、三十一頁七百人以上の当時の自由律俳人が一望できる好資料である。七百余名のうち『層雲』『海紅』系の俳人がそれぞれ何人なのか数えていないが、多数句収録俳人は圧倒的に『層雲』系が多いことが分かる。収録の五十音順に従って列挙する。

●青木此君楼　31　日ざかりの御堂の鳩ら翔りて
●秋山秋紅蓼　40　静かに星が砂のごとき湧き出づる空
○安齋桜磈子　40　山やきさらぎの陽あたりて裾原
●池田詩外楼　25　祭の宵の人が出さかる水のさかな
●池原魚眠洞　23　あつい湯さしては行水をしていちじくの青い実
●宇佐不喚洞　26　仏天国土大地草萌えたる斑ら
●内島北朗　24　口笛吹いて沈みたる海女に海青し
●大越吾亦紅　40　春の火をどり易く野に放ちたり
●大橋裸木　40　蛙の声の満月
岡本癖三酔　40　自分の影を見て自分の帽子を直し春の日のさし

●荻原井泉水　40　日の御旗みな黒し日を仰ぐものもなし
●尾崎放哉　40　軽いたもとが嬉しい池のさざなみ
●小澤武二　37　さめざめあめふるこごめばなこぼれ
河東碧梧桐　40　干足袋の夜のまゝ日のまゝとなり
●河本緑石　24　あさひあさひいまし此雪にもえあがる
○喜谷六花　40　飾竹の穂は足袋干すによろしく軒に青き吊りたり
●窪田耕児　20　石であつて蝶がとまる
●財馬呵歩　19　犬ころころと麦の芽
塩谷鵜平　40　建国祭の梅の窓いくつとくあけはなち
●七戸黙徒　32　死人に着せし米俵の米がこぼれたり
下山栄太郎　25　雲れんれんと別れしが二つとも消えたり
○鈴木あつみ　19　蛇流れよこぎるさまたぐるものゝなし
●関口父草　25　小さな日本がある地図をかかげて聞かすること
○妹尾美雄　20　首巻をやめ今日夕景日比谷
●芹田鳳車　40　風の中静かにも陽が燃えてあり
●阡陌餘史郎　20　つはの花にすぐかげる日がある
●種田山頭火　19　分入つても分入つても青い山
●内藤寸栗子　24　象の吹く喇叭にて夜の人疲れ見ゆ

○中塚一碧楼　40　空のくもりうつゝに咲き榛の木の花
●中原禮二　20　とめられて昼まへのごまいる音する
●野村朱鱗堂　24　しほざゐほのかに月落ちしあとかな
　萩原蘿月　40　茜初めし海の真光り萱の芽に
●原農平　19　田の入り日見て切符一枚鋏んだ駅夫
○細谷不句　29　エレベーター昇る時より降りる時わがからだ夏夜
●牧山牧句人　24　なが雨のながれる川が家うら
●松尾敦之　25　私の顔とわかつてからのおばあさんの顔
●和田秋兎死　21　松の葉のふる水そこのみえる

「自由律俳句集」に収録の井泉水作品として、「日の御旗みな黒し日を仰ぐものもなし」をあげたが、この句には「明治天皇崩御の日」という詞書がついている。明治に生きた人々の明治天皇への思いは様々な文学作品に投影されているが、本句も淡々としているが思いは伝わる。

同様に、井泉水「関東大震災」と題した作品、「空にうつる火の中より蒲団負うて来る」は、まさに実体験からしか生まれない名吟であろう。また詞書はないが、「雪はふるふるラヂオは兵に告ぐ又兵に告ぐ」は、一読して、二・二六事件を詠んだものであることがわかる。「ふるふる」「兵に告ぐ又兵に告ぐ」の対句が効果的に作用した、これも名吟だと思う。

収録数を19以上にしたのは、種田山頭火を基準にしたからであるが、それにしても『層雲』系の方が断然多いことが分かる。自由律俳句史の類を読んでいても、その名に記憶のない俳人が数人含まれているが、昭和15年ごろには自由律俳句界では知られた存在であったのかもしれない。一方で、自由律俳句史の中でよく目にする左の俳人たちの収録句は割合少ない。右と同様に挙げてみる。

●井上一二	10	雨ふる音のとうがらしぬれてあり
上田都史	3	踊る踊る舞踏場鸚鵡だまつてゐる
●内田創平	9	しんにくらし蛍とぶなり
●大山澄太	13	墓にどんぐりなげつける子のゐて詣でる
○兼崎地橙孫	9	わが長男次男、祖母の墓を掃除する、祖母のこと話して山下りる
●唐沢隆三	3	啓、よい天気のこやしくれも終り候
○吉川金次	4	しばらくは地ならし機動かない半裸の男ハンドルをもち
木下笑風	5	枯れよぢれては日にさらされてゐる草
●木村緑平	12	雨暗く馬は水田に四つ脚を立て
●酒井仙酔楼	13	鷗ひとつ波を打ち波はつらなる
○白石花馭史	10	釈迦堂裏葱少しひき残せる
○高橋晩甘	15	ずんずん茂りの中へ去んでしまつた驢馬と爺さん
○瀧井孝作	12	家の前にも砂利敷かれ黍つゞき也
谷口喜作	7	おはなまつりの夜に入りて風もなく

○谷しんいち	11	曇天蝶がむれてキャベツ畑のキャベツ
内藤鋠策	5	雲雀のこゑは空いつぱいの落書です
西垣卍禅子	1	蝉が鳴き一日の法衣脱ぐ冷麦なぞ夕はいはざるもの
●橋本健三	15	蛙がぴよいぴよいとんでゆく道が乾きます
○原鈴華	1	子と戯れば砂礫が美しいちらばつた花の美しい花瓣
冨士崎放江	1	すだれ掛けしを呉服屋のくばり団扇の絵
○細木原青起	8	道はやけてゐる炎天を行くに一人と一人と
○水落露石	9	七草摘みにさそひ出てけふの幸ある野の陽

現在では俳人としてよりは小説家として一家をなした瀧井孝作や、漫画家として著名な細木原青起、歌人・出版人として内藤鋠策、鋸のめたて師で研究家でもあった吉川金次などが注目される。また自由律俳句史研究上で功績を残した上田都史や唐沢隆三、種田山頭火の顕彰に功績を遺した大山澄太もいる一方で、プロレタリア俳句を主導した栗林一石路や橋本夢道は掲載されていない。

参加を辞退した俳人たち

戦後の出版だが、栗林一石路著『俳句芸術論』（昭和23・新文藝社）の巻末に「俳句三代集への不参加について」という文章が収められている。彼等の雑誌『俳句生活』の昭和13年8月刊行の号に「俳句生活同人」の名義で掲載されたものに、付記を添えて収められたものである。これによって未掲載の理由が詳しく分かる。彼等は、当時の無名俳人も含む企画に意義を認めながらも、編集にあたる審査員、評議員から新興俳句の主要メンバーが除外されていること、また自由律俳句が本編とは別に編まれることは現状やむを得ないとしても、井泉水、一碧楼の妥協の上に収録句が選ばれ、必ずしも結社の特色を示す作品が掲載されない、という理由から参加を辞退したようだ。改造社編集部からは、『俳句生活』の同人には特別に四十句までを認めるから井泉水、一碧楼の選を受けてもらいたいという要請があったが、小結社が相対的に悪条件に置かれる懸念があるということから不参加にいたった。本来が彼らの師であった井泉水の功績は認めつつも、「一つの主張に基く芸術上の態度はかかる情誼とは混淆すべきではない」という態度を表明したようだ。

改めて、『俳句三代集』第九巻「新年之部」巻末の二四〇頁に及ぶ「作者略歴」を見ると、山口誓子や日野草城の名はあるが、西東三鬼、島田青峰、吉岡禅寺洞、石橋辰之助、など新興俳句系の俳人の掲載がないことが分かる。

そういう背景を考慮して使えば、この『俳句三代集』別巻「自由律俳句集」は貴重な文献で、殊に巻末の作者略歴は重要である。

6 『層雲』が生んだ早逝の俳人・大橋裸木について

「骨を削り肌に刺す」制作ぶり

放哉や山頭火ほど知られていないが、『層雲』の主要作家の中に大橋裸木（おおはしらぼく）がいる。昭和八年八月八日、四十四歳の若さで世を去るが、「陽へ病む」という僅か四音の作品を残している。『人間を彫る』（大正14）、『生活を彩る』（昭和3）、『四十前後』（昭和6）、『海国山国』（昭和8）の句集（遥か後年、選句集『陽に病む』が出された）があるが、『海国山国』は刊行直前に亡くなったため追悼を兼ねた井泉水の「後記」が添えられている。少し長いが全文引用しておく。

此「後記」を裸木に代つて私が書かねばならなくなつたのは悲しい事である。今年の春ごろだつたと思ふが、裸木から手紙で云うて来た事に――近く又其後の句を輯めて一集を出さうと考へて、其原稿も殆ど出来上つた。題は「海国山国」とするつもり、海国といふのは津で、山国といふのは阿保と京都、此三ところの作を輯めたものなのです、と。彼の俳句に就ては、今さら推薦の言葉をなすにも当らぬことだが、彼の生活が東京から大和（曾爾）へ、伊賀（津）へ、さうして伊勢から京都へと、激流のやうに押出してゆくと共に、彼の句境はぐんぐんと旧套性を脱いで、其内部的な真実性を押出してきた。又、その表現に於ける技法も実に円熟の極、完成しきつたものになつてきた。だが、それと共に、彼が多年の病状も進むところまで進んだやうに見えてきた。「絶対安静を命ぜられてゐます」などといふ手紙がしばしば来た。それも自筆で書いてゐるのだから、絶対安静の禁を犯したか、或は、小康を得た折に書いたものだらうが、そんな中にも、彼は句作的な精進を怠らなかつた。いや、病勢が昂進すると共に、制作的な熱意も亦昇騰するやうにすら察せられた。しかも、彼の制作ぶりは平生からして骨を削り肌に刺すといふ程の苦労なので、私はそれが為に、彼の精魂を消磨し尽さねばよいがといふことを念じてゐたのである。だが、彼は、此句集が脱稿したであらうと思ふ頃になつて、猶一句でも多く、又、更に佳き句を其中に残しておきたいとしてゐるかの如く、一層の刻苦惨憺をしてゐるらしかつたが——遂に彼は裸木といふ名にたぐへて、枯木の倒れるが如くに倒れる時、其前月までの句がすつかりと整理されてゐる此句集原稿が遺されてあつたのである。で、私は彼が其後に層雲に寄せた一篇の十数句を追補としただけで、是をかれが生前に指定した組版の体裁通りに上梓せしめたのである。

あゝ、今や裸木無く裸木遺稿一巻ありといふ感がひしひしとする。彼こそ、此一巻を最も優れたものに仕上げて遺さうとして、其心魂をも肉身をも其為に燃焼しつくしたのである。あゝ、今はモータルなる裸木の無きことを悲しむには当たらない。不朽なる此遺稿一巻を得たことを、彼を知ると知らざると、いや、後の世の人々と共にただただ珍重したく思ふのである。

井泉水の思いあふれた名文である。『層雲』が生んだ俳人として期待が大きかったし、先に放哉を失っていた井泉水の落胆の強さが察せられる。昭和30年にリーフレット『層雲の道――大正・昭和（初期）の人々』を出しているが、野村朱鱗洞（しゅりんどう）、尾崎放哉、大橋裸木、種田山頭火の四人をあげている。没後六年たった『層雲』昭和14年8月号に、秋山秋紅蓼が「新表現の探求」と題して、放哉と裸木の比較をしている。裸木の方のみ紹介しておく。

清閑寺なら斯うお行きやして春のしら雲　裸木
まことに京のかりやどりの白い団扇を置く

二句共、京都にての臨終近くの作であるだけに、一読凄愴の思ひがする。裸木の生活は、非常に現実に即してゐて、どの作品もリアリステックではあるが。放哉とは逆な対社会的立場にあると思ふ。彼は、現実に執着すればするほど消極的になつて来てゐる。だから、作品の上に於いて見るやうに、表現の線が細い、まことに銀線をのべたやうだ。芭蕉の、俳句は黄金を打ち延べたるやうにありたしといふ言葉に一致してゐる。前述の二句などは名工の作で、日本語の持つ最高の働きを韻律化してゐる。而も、表現が技巧の極致に達してゐるので、「春のしら雲」「白い団扇」といふ言葉に何かしらまどはしのやうなものが浮動してゐて、作者の精神を象徴してゐるやうだ。流行もここまで来ると不易と一致する。

寒さも小寒大寒となつて死なずにゐる　裸木
ひざびさ座ればしみじみ寒夜のすみずみ

前句の方は、自嘲といふ前置きがしてあるが、いづれも病中の作である。裸木の現実は実にいたいたしいまでに透徹してゐて、そこに、些の感傷的なところがない。市井の詩人としての彼の面目が躍如としてゐる。放哉の自己反省や批判と相違してゐるところは、彼が飽くまで詩人であり俳人であつた性格的差から来ている点で、同じく反省があり批判があるにしても、放哉のやうな赤裸々のものではなくて、どこまでも詩的技巧をウエーブしてゐるのである。

井泉水が「表現に於ける技巧も実に円熟の極、完成しきつた」と評したのと同じである。

講談社の『日本近代文学大事典』にも裸木は立項されており、『層雲』が輩出した随一の作家だと評されている」（瓜生敏一）との記載もある。

裸木は四音の俳句「陽へ病む」が有名でネットで検索してもこの句に関するものが多い。荻原井泉水と中塚一碧楼が編んだ『俳句三代集』別巻「自由律俳句集」（昭和15・改造社）には、裸木の句が四十句収められている。収録句には、

わが戻る蜩の田端をよぎり日暮里をよぎる
子を思ふにつけ死んではならぬと思ふにつけ咳する
月かげもまだあさい夜の浅蜊に砂吐かせておく

などの長律句も多く、短律句は右の「陽へ病む」のほか

蛙の声の満月
雪やんだ雪の落日

の三句だけである。おそらく井泉水が句集から選んだのだと思うが、裸木生涯の作品全体の中ではどのくらい短律句があるのだろうか。

裸木の四句集はいずれも稀覯本に属し、古書市場に出てもかなりの高額になる。需要が多いというよりも、残存部数が少ないのだろう。亡くなってから半世紀を過ぎた一九九〇年、選句集『陽へ病む』が層雲叢書として刊行されたが、これも入手が難しい。国立国会図書館のデジタルコレクションには、第一句集『人間を彫る』が収録されているので、ネットで読むことができる。他の句集は井泉水文庫を所蔵する神奈川近代文学館にある。

「陽へ病む」が収録された『四十前後』もそうだが、全体をみて短律句は少ない。裸木を山頭火のような短律句の俳人と見なすことは出来ない。むしろ長律句が多いといえる。

短律時代

『層雲句集』の七冊目が『短律時代』で、昭和四年の刊行である。その合同句集は見ていないのだが、『俳壇春秋』昭和五年新年号に、井泉水が「短律時代といふ事――『層雲第七句集』選後雑感」を書いている。五頁半に及ぶ長いもので、数多くの例句をあげて、短律の意図するところを解説している。重要な点を抜き書きしてみよう。

○こんどの「層雲第七句集」には「短律時代」といふ題をつけた。大正十四年春から昭和二年の春まで、即ち此の集に選輯した時代の句の特色といふものは短いリズムのものであるから、是を「短律」と名けたのである。尤も、是は特色といふ事は出来るが、主唱といふ程の事ではない。

○一体、短律といふ事は、単に字数の問題でなく、観照の心に於て単純を極めてゐる、その極度さが表現の上の簡短の極度となつた事である。

○短律の句ほどむづかしいのだ。短律の句には「表現せざる表現」といふやうな気持ちがある。其で充分出来てゐるか、出来てゐないか、此境界は微妙である。「墓のうらにまはる」の如き、私は是で充分だと思ひもし、又やゝ不安もあるので、此集には選むことを躊躇したが、然し、たしかに注意すべき句ではある。

○本書の選句（本欄）全体を見られゝば解る如く、分量から云へば、短律としての極度にある七字八字の句といふものは先づ稀である。十一二字のものになると、さして少なくはない。

○一体、短律といふものは、表現の極北だから、こゝより以上に行くことが出来ない関係から、又引返さねばならなくなるのも解つてゐる。だが、此様な最尖端まで言葉を研究して行つて、一語一語のもつ力を充分に検討した上でならば、長いリズムの句を作るにしても、其が長いだらけた、無力な、冗漫なものになる弊はなく、それこそ短くも長くも、其境と其情に従つて自由自在に表現する手法の妙味を体得し得る道となるであらう。

「又引返さねばらなくなる」と冷静に認識している点が、井泉水の凄いところである。井泉水が例句としてあげた作品には、裸木の

蛙のこゑの満月
年くる池のさざ波
ずんずん麦刈る海まで
朝月の戸をあけたばかり

をあげているけれども、『四十前後』における短律句の割合の少なさも、『層雲』全体と対応していたのである。
逆に非常に長い音数の裸木作品にはどんなものがあったのか、これも多い訳ではない。

寒ン夜をがちやがちや三味ひいて銭せびるに来た
柘榴の花に屋根が傾いて梅雨明けてゐた
ちよつぴり夜にのこつた仕事に蚊取りせんこをたてる
葡萄棚から星が透いて夜は疲れてる画かきで
木を描き海を描き涼しい画にして私に見せる

蛍籠吊つて夜はひまになつた髪結さんです
門からのびて夏の夜の草道が見えてゐる田圃
暮れると病人の電気引つぱつていつて桑やる事か
梅雨があけた道草の茂りや馬糞の麦の芽や
壁土から足ぬいて煙草にするげんのしやうこの花
ゆきげの電車の屋根の雪もとけていたり来たりする

二十二音くらいならまだたくさんあるが、二十六、七字となるとこのくらいである。

私は、「柘榴の花に」「葡萄棚から」の二句に惹かれるが、これを前にも書いた「干渉部」「基底部」に分け、

梅雨明けてゐた
夜は疲れてる画かき

と、短律にしたら著しく詩情を欠いたものになってしまう。他の句も含めこれを十二音くらいに凝縮することは難しそうである。

「陽へ病む」は昭和3年から6年の句を集めた『四十前後』に収められているが、短律句ということでは、既に大正11年から14年の作品、約五百句を集めた第一句集『人間を彫る』にもある。

雪やんだ雪の落日
年暮るる池のささなみ
蛙の声の満月

短律句とその他との比率は、いずれの句集とも大差がないように思う。
井手逸郎は、「自由律俳句の形成」（『自由律俳句文学史』「新俳句講座」第一巻所収・昭和35）で、短律俳句の現成を、河東碧梧桐、中塚一碧楼、大橋裸木の作品三例をあげて解説している。

〇これだけの鉢の、菊の中　　碧梧桐

大正六年の作品。「鉢の」で切れて、「菊の中」とつづくのだから、「菊の鉢」とつづく心ではあるが、一句のリズムとしてはあくまでも切れておる。切れておるが故に一句を形成するに足るのである。

〇水のおと　松の花さき　　一碧楼

昭和三年春の作品。一句三二—三四の調だ。句切りは—印の個所にある。（略）「水のおと」の句を上と下とに分けて之を音感的に鑑賞してみると、上半は「重い音」からなっており下半は軽い音によって成立していることが分明するのである。そうして「水のおと」のあとに「置き字」が省かれているように感ぜられる（略）。「松の花さき」は「松の（三）花さき（四）」であって、「松の花（五）さき（二）」ではない。「松の、花さき」と「松の花、さき」とではその味わいによほどの差があるのである。

○陽へ病む　　大橋裸木

大和の曽根（ママ）という寒村に流転して闘病しているころの大橋裸木の句である。梅雨の頃の句であることは「裸木句集」を読んでみて判ることである。（略）僅かに「二二」の調、四音によりて成る句というのも珍しい。短律の極北とも云える句である。裸木は短律句の修練を長期間実施した。そうしてこの一句によって遂に短律の醍醐味に突入したのである。「ひへやむ」――音感として云えば比較的に弱い感じの句だ。けれども「ひへ。やむ」と節奏を以て（言いかえれば切り字を含蓄さして）味わってみると、ゆっくりとおだやかに平らかなる気持ちが宿っていることが判るのである。

井手は短律ゆえになおさら「切れ」を重視していることとわかる。
裸木については、唐沢隆三著『自由律俳句史雑記』（昭和46・ソウル社）に収録の「『鳩』・『河童』・その他」という、『層雲』衛星誌に関する文章の中で、昭和六年七月に創刊された『鳩』（鎌倉・伊藤幸雄編集）の第二号（同年9月）に掲載された、裸木の多行形式の作品を紹介している。

皿も洗うて
　暮れぬまの
　　あれこれと

ひぐらし

全部で十二冊刊行された『鳩』には、他にも多行形式の作品が掲載されているというが、未確認である。林桂編『多行形式百句』（令和1・鬣の会）に収録の「多行形式への道程」によれば、井泉水が「二行詩」と呼んで、

一つの籠の白き鳥は
暮れ行く街の人を眺めをり

など七句を発表したのが、大正三年三月。大正九年には久保白船や「ひさし」と署名された三行、四行の作品が『層雲』に掲載されたようだが、その後は消えたと書いている。

唐沢も『鳩』や『河童』は、『層雲』ではやりにくい実験を意図していたと書いている。

裸木は自由律を選んだがゆえに、定型に無自覚に凭れることなく、様々な工夫を重ねていた。短律も長律も多行も、裸木の果敢な試みであったのだろう。

荻原井泉水の二行句

俳句の多行化については一書を成すほどの問題があるが、井泉水の二行書きの句について書かれた本がある。伊澤元美著『現代俳句の流れ』（昭和31・河出新書）という新書判で、原石鼎亡き後の『鹿火屋』

昭和27年7月号から30年12月号に連載された「進んできた俳句の道」が、山本健吉などの推薦を得て出版されたものだ。伊澤は後に近代文学の研究者となるが、戦前に山本と同じ改造社『俳句研究』編集部に所属していた。何かと毀誉褒貶の多い山本の『現代俳句』(昭和39・角川文庫他)が俳人各の作品評釈を中心にして現代俳句を概観したのに対し、伊澤は、各俳人の業績をたどることで現代俳句史を概観している。両書の一番の違いは、山本が「俳句の埒外」と敢えて排除した自由律俳句について、『層雲』に参加していた伊澤は、河東碧梧桐、中塚一碧楼、大須乙字、荻原井泉水、尾崎放哉を取り上げ、新傾向俳句から自由律俳句への流れをとらえて解説していることだ。伊澤は社会の動きの中で俳句をとらえ、また文献の書誌的な面にも細かな気を使っている。取り上げる俳人が『現代俳句』が四十二名に対し、『現代俳句の流れ』は二十名と少ないが、いわゆる日本的な自然主義からの脱却を図りながらも、社会的な問題の追及に向かおうとした石川啄木と、自己に深く沈潜していく方向をとった井泉水との違いを指摘するなど、全体に優れた本だと思う。

その中で、伊澤は、井泉水が一時、俳句を二行書きの国民詩に育てようと企図していたことを次のように書いている。

> 井泉水は二行詩を日本の「國民詩」と考えていたようである。そして俳句は二行詩である、若しくは俳句は二行詩の一種であるという理論を持つていた。即ち國民詩としての俳句という構想を持つていた。換言すれば二行書きによつてこれまでの季題趣味と十七音形式から脱却した新しい俳句即國民詩を試作した。改造文庫『井泉水句集』(昭和四年八月)に収められている二行詩を

挙げると、（一作ごとに題をつけている）

こだま
「おーい」と淋しい人
「おーい」と淋しい山

運動場にて
生徒らよ
まりになつて撥ねあがる太陽をつかまへろ

一日
さびしさや此の一日
一つの不思議を見ざりし

等である。（略）

ところが、次のような事態が起こった。

大正七年に「東京日日」が「國詩」の募集ということを始めた。在来の十七字、三十一字の形式が我國の詩の究極の形式か否か、他に新しい形式の可能があるかどうか、この問題の解決に資するために自由な表現の試みを以てした新しき詩を募る、というのが其の主旨であつた。井泉水はこの「國詩」の募集に大なる期待を持つたが、結果は「國詩」は高浜虚子と佐佐木信綱が選者となつたことによつて、「東京日日新聞」がくわだてた國民詩運動は新しいものを産み出さずに終つたようである。それで井泉水の二行詩運動も広い舞台に出ることなく、「層雲」誌上での施策にととまらざるを得なかつた。

そして伊澤は以下のようにこの問題を結論している。

このことは自由律俳句の成長途上の一つの屈折であり、井泉水の印象主義的象徴主義運動が東洋的な心境主義的主観主義とでも言うべきものに向かう屈折でもあつた。「詩」の圏内に入りかけた自由律俳句が（二行詩という名まで進んだ俳句が）又、俳句それ自身の世界を「詩」の世界と区別し始めたのであつた。

7
三重県で生まれた自由律俳句誌『碧雲』

ルビ付き俳句を批判

三重県鈴鹿郡関町で原久吉を編集人に発行されていた『碧雲』という俳句雑誌の昭和8年10月発行の第九号から昭和17年8月の百一号まで七十九冊が手元にある。誌名からも判断できるように、河東碧梧桐を信奉する自由律俳句誌である。第九号表紙裏に同人十五人が地域別に挙げられている。奈良、京都、小樽、静岡、東京、新京（旧満州）、名古屋、三重で一応全国をカバー、四十四号（昭和12年4月）は「河東碧梧桐先生追悼号」である。編集人・原久吉、発行人・原勝とあり、おそらく三重同人の俳号原鈴華、原秋甫の二人が主幹とみてよいようだ。新京の同人は木下笑風。

これまで本書で度々触れてきたように、自由律俳句は、碧梧桐選の「日本俳句」（『日本及び日本人』俳句欄）から、荻原泉井水主宰の『層雲』（明治44年創刊）と中塚一碧楼主宰の『海紅』（大正4年創刊）が派生し、この二誌を中心に動いていく。『層雲』からは尾崎放哉、種田山頭火などの現在の人気俳人や、栗林一石路、橋本夢道などのプロレタリア俳人が輩出された。そこに自由律俳句の前身たる碧梧桐の「新傾向俳句」の確たる要素は薄いが、『碧雲』はその点、終始一貫して碧梧桐俳句の継承を貫いたようだ。著名俳人は生まれなかったようで、自由律俳句史上も看過されているといえるだろう。

戦後、西垣卍禅子の編集で『自由律俳句文学史』（新俳句講座第一巻・昭和35・新俳句社）が出された。既にこの本からは何カ所も引用してきたが、原鈴華自身が「ルビ俳句の新形態から『碧雲』へ」と題して約十ページにわたりその創刊事情から休刊、戦後の復刊まで詳細に論じている。自由律俳句への関心が薄い上に、『碧雲』自体を目にすることが困難である以上、『碧雲』は俳句史上埋もれてしまっているのはやむを得ないが、それだけに原自身による回想は貴重である。

ただ、当事者が過去を回想するのと、現在の眼でみて判断するのでは意味が違うであろう。偶然にもまとめて入手した者の義務として、気付いたことを断片でも書いておきたい。

その前に原の回想の要点を示しておこう。

『碧雲』は、碧梧桐から『三昧』の編集名義人を引き継いだ風間直得（かざまなおえ）が、極端なルビ付き俳句を提唱しはじめたことへの対抗処置として創刊された。

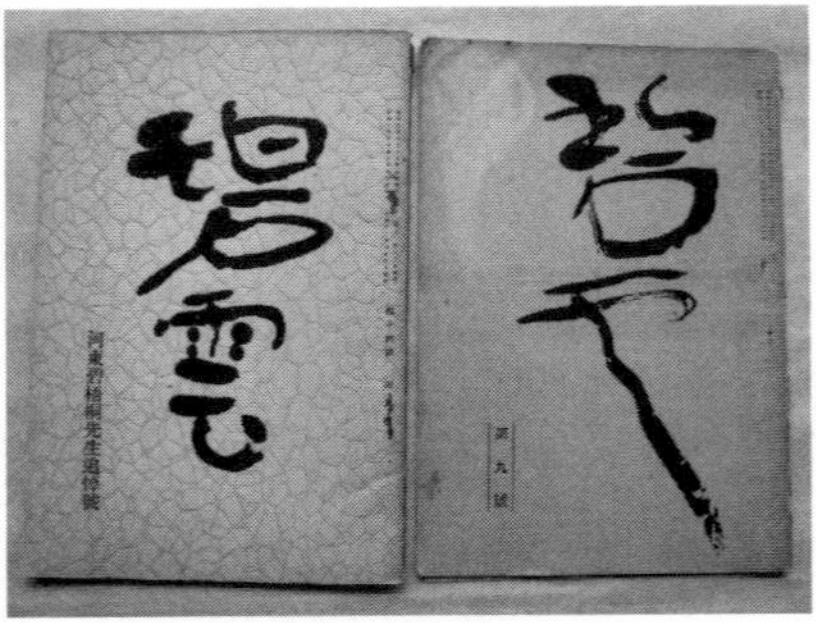

『碧雲』右：第九号（昭和８年10月）
左：四十四号河東碧梧桐先生追悼号（昭和12年４月）

○大正14年3月に碧梧桐を主宰とする『三昧』が創刊され、直得がその編集人となった。その二年後、財政破綻に瀕した時、『三昧』は編集ならびに発行人を碧梧桐の名儀にうつし、六十一号から再び直得が編集人となった。この頃からルビ俳句と称するものが創始された。

○ルビ俳句とは、明治書院版『俳句講座』七巻の阿部喜三男「自由律俳句史」に、碧梧桐の句を例に左のように解説されている。

簗落(オチ)の奥降らバ鮎(コ)はこの尾鰭(オド)る　　碧梧桐

において、「簗落の」は詩語のリズムでは「オチの」であり、「鮎」は「コ」であり、詩語「オドルの実態は尾鰭の動き」なのである。ルビをたどることで音楽的な詩語のリズムが活き、その語意的な不足が被ルビ語で示される。詩の実態（感情の律動的内容）に肉迫しようとした態度が、短詩表現に必要な緊密簡約性・象徴性・飛躍性などを求めて、近代的印刷技術による振仮名を利用して、詩語とその内容を裏付ける語を併置して表現しようとしたのである、と。

○『三昧』誌上で、この技法は次第に安易で、そして無秩序なものが混入していったので、『三昧』八十一号で、次の五句をあげて疑問を呈した。

そのかみの浜防風(グサ)いまは思(タ)だ汽車町(ユクサチ)をのみ　　一鳴
あいも旧式陸橋(サビハシワケ)興もな秋雨(アレ)やセ夕(ヨ)に朝(ニ)て　　一鳴
木間(ハラ)へどある秋蜘蛛(アラキ)糸(ハレ)を午后を日づまりいふ妻(カ)　　烏堂
旅(キ)しばかり、烈(ト)ウ雨(ド)いとど裏日本(サビシ)や、秋(コト)に海空(ウナゾ)　　一鳴
湯槽(ユガ)灯かたかげ、唄をすどちの、三日月(カマ)なすとき　　直得

○ルビ俳句の普遍性にたって、私（原）の愁えたことは、その文字の遊戯化と古語との結合その他独断性にあった。民衆詩として一句の普遍性を願う立場に立つなら、もっと詩語に対して慎重であってほしい。裏日本にサビシという振仮名が、その作者その時の感懐の情の表現としても、余りに貧弱な表現法であり、そのような便宜的な振仮名において真の詩は作り得ないし、一般人にとっても受け入れがたいものと考える。

○『碧雲』は号を重ねるにつれ、ルビ禁止の声をあげるまでになり、むしろ長律によって、その表現を試みようとした。

○この頃俳壇において、生活俳句の論議がおこり、口語俳句が唱えられるようになった。モダニズム詩人であった春山行夫は「高次のポエジーに於いては、ポエジーの方法として使用される韻文と散文とはそのエステチックに於いて一致する。この一致に無智であって、単に現象的に韻文詩と散文詩とを二元的に取扱うあらゆる混雑は、単に個人的な認識不足の結果に過ぎない」と書いている。

○『碧雲』が散文的長律となってルビ俳句を超克しても、それだけでは新しい俳句でなく、まして碧梧桐が求めた道ではない。散文律に近づき、生活俳句として人間の思考を重視したことは、一つの方向を示すものであるが、長律は益々俳句的把握に遠のく運命にあるとの自覚を私（原）に与えた。

○俳句ばかりでなく、総ての詩の秘密が音数律のみにあるのでなく、音律という隠微の中に、言葉と言葉のつながりの中に、根本的な問題がある。俳句に散文化がとなえられても「意味」そのものの外に格調が必要であるのだ。

長い紹介になったが、極めて冷静で深い俳句形式への理解であると思う。
『三昧』終刊は碧梧桐の俳壇引退を伴った。原は、『碧雲』の創刊に際し、碧梧桐に引退撤回と後援を依頼したが、碧梧桐は引退を翻すことは出来ず、後援も出来ないが、新雑誌には期待すると『碧雲』タイトル題字を書いてくれた。『三昧』は、風間直得がルビ俳句を推進する『紀元』と、反対する『碧雲』に分かれることになった。

田園のモダニズム

原鈴華の作品を手元にある初期の二十号（昭和9年10月）までの中から選んで紹介しよう。

朝心にひゞくものあり　雨に葉滴　浮游の雲
銭にセ繭　これがかぎりの　夕（ヨ）べは雨なす軋り音
酒飲（ノメ）ば雨　葉うつせゝら音、雑踏（ドヨミ）わすれた顔
清楚ではない枯淡ではない、生活の断片、田園は鬱蒼と茂る
吹いてきた風が　こんなところに垣穂に花が　空に降る雨
子よ野草　折りなば春の　伸髪に　小さな掌（テ）に花
街道遠き　耳急（セ）ぎに　夜を音蛙　ぱつちり木槿の花
目覚むれば　たゞ青葉　閑寂の寝具　肌ぬくもる
蟬　蟬の奏楽になにがある　ふいと窓あけ　青い空

草穂を噛めば　ふと清新な　孤独に明ける　一つ　百合の花
雨雨雨　白い穂の花　カラリと葉が散る　秋の横顔（プロフィル）
桑の葉は美しいのだが　なぜか青冷たい　農家の生活
五位の鳴くのが美しい　空は黒闇だが塊まつてゐる
子に　この砂遊（アソビ）　路上に疲めば　秋冷のあり
蒼々と窓の玻璃　流れるよな雲　落葉が描く
この深紅な庭がなじめない　いつからか　落莫な生活をひろげる

ルビは極力使用を控え、使用しても無理のない範囲であり、一行表記だが切れ字の代わりに一字あけと、読点を使用している。それ以上に描かれる田園の自然の清新さに惹かれる。これまであまり読んだことのない俳句である。日野草城や山口誓子の都会的なモダニズムとも違う、田園のモダニズムとでもいうべきだろうか。『碧雲』回想文の中で、春山行夫の詩論が引用されていたが、まさに『詩と詩論』の詩人たちの世界に近いものがある。

他の同人たち、例えば國吉大也は多行句を掲載している。『層雲』紹介の中で取り上げた大橋裸木の『鳩』掲載の四行句は昭和6年であったが、これは昭和9年である。多行の上に一字あきも施している。

扇の蔭より・・・・

口紅（ルージュ）面伏せ　ほら
水月（くらげ）のやうな月　（十五号）

夏　岸の芦
夕べ　風そこに
牡牛ゆく　（十六号）

小径にそひて　芦わけ口笛
さえざえ空は
漁火ちらばふ　（十七号）

原秋甫の作品は、

製材工場の正午、秋刀魚燻べる、たるんだベルトが荷馬車に抛げる空転
ほのぼのと廻廊（ギャラリー）が梅雨に寝つてゐる、痩躯に睨（ネ）める　ネオンの空
ぬけ毛数せば、揺籃の日の秋の窓、笑みがこぼれ
歩いてみたい藪ほとり、霜生も日、冷やや顔会はす

後の二句には「病妻の生活」という題がついている。
秋甫は、十九号では「生活派に与ふる時言〝生活感情の本質〟」を寄稿し、『生活俳句』の黒田忠次郎の次の句を例に、強烈な批判を展開している。

新聞を這つてるカマキリを払ひのけて、市電争議東交の宣言を読む

明らかに一報告文であり、一記録である。これが若し生活の感情だ、生活に即する俳句だと銘打つならば、〝俳句は花鳥諷詠でなければならない〟と俳句の定義をつけた人を封建的残滓の老耄だ、とその愚を笑ふに等しい幼稚なものである。（略）生活感情なるものの詩的要因となるものは、如何なる角度の認識から出発して、生活感情そのものが詩創成への具象性を成すかに、今日の問題があり、時代のレアリズムの提起を要求されるのである。（略）時代の生活感情に向つての根本的解明と、それの楔機に立脚する実践過程に於いてこそ、初めて俳句の核心も叫ばれねばならないのである。

その上で、國又叢爾の左の句を例に『碧雲』の実践のありようを提示している。

息吹き翳もな　農人に呼びかけよう　青の日曜日

この感情の主流をなすものは、一般的な社会観による農人生活と言ふものを主体として、それを自分の或るよろこび（青の日曜）に合致せしめて、一つの感情形成を統一した自律性による生活

感情の具象化である。何等の誇張もない日常生活のうちに、社会性による美価値の選択をもつて、新しきロマンチシズムとも言ふべき理想化の世界を自個の感情生活のうちに育んで居る温情的の作である。

他にも、第三十三号の東京の石井夢酔の作品、

頭の毛むしつて泣いて　たゞの背中でなく　ねんねんころりこ唄つてやつてはどう

第六十三号の林雀背の作品、

街樹の葉が散る白いビルビル　出て来る出て来る人　黄色い風に包まれて行く

などといった作品を掲載している。

以上を見ても、『層雲』『海紅』だけではない、自由律俳句の流れが、しかも三重県という、いわゆる地方で育っていたのだと見てよいように思う。

『碧雲』は同人誌的存在であることにもよるが、評論やエッセイ類も充実、『海紅』が殆ど投稿句で埋められているのと比較しても、自由律俳句を見ていく上で価値がある。なお、昭和15年5月の七十七号から発行所を東京渋谷の林雀背宅に移している。大政翼賛会の発足した昭和15年は日本の大

きな曲がり角であった。『碧雲』もその時代の波にもまれたのだろう。

前にも記したが、改造社は『俳句三代集』全九巻別巻一冊を企画した。別巻は「自由律俳句集」（昭和15年4月）で中塚一碧楼と荻原井泉水が応募作品から選抜したが、一人四十句を上限にその収録句数で当時の著名度が分かる。原鈴華は一句のみ収録されている。

子と戯れば砂礫が美しいちらばつた花の美しい花弁

同書巻末には収録俳人の略歴が収められている。原鈴華は、本名勝。三重県四日市に在住。医師、『海紅』『三昧』を経て『碧雲』を創刊したことが簡単に記載されている。プロレタリア俳句の面々は編集方針に異議を唱え、掲載を辞退したが、碧梧桐の流れを汲む『碧雲』の俳人たちは冷遇されたのだろうか。

『碧雲』は偶然私の目にとまったもので、まだまだ各地に豊かな世界を展開していた俳句雑誌の存在があったことを示唆しているように思う。それらは、東京を中心に大阪、京都、名古屋など大都市における俳句の動向や思潮を地元に伝え普及させるとともに、地域の文化を活性化させていたに違いないと思うのである。各地に豊かな文化が存在することで中央の文化も活性化する。

ともかくも、資料が残っていれば振り返り再評価の道もあるが、資料が散失してしまえばその道も閉ざされてしまうことは確かなことだと思う。

第三章　詩人の俳句

1　英文学者詩人・佐藤清の俳句

「詩は言葉の音楽的表現である」

立原道造や織田作之助と親交のあった本郷落第横丁のペリカン書房品川力さんが、もう二十年以上も前だが、佐藤清（一八八五〜一九六〇）の処女詩集『西灘より』（大正3・警世社・福音舎書店）を、「こんな本知っていますか」と下さった。確か私が編集している『日本古書通信』に明治のキリスト教者・新井奥邃（あらいおうすい）の書誌を連載されていた頃だ。私には未知の詩人で初めて目にする詩集であった。それから時間が流れ品川さんも亡くなり、奥邃は割合知られる存在になったが、詩人佐藤清が語られることは今もない。ところが、先日偶然にＢ５判、三冊からなる『佐藤清全集』（昭和38〜39・詩声社）を入手、その生涯と文学のおおよそを知ることとなった。後に初期の詩集『海の詩集』（大正12・上田書店）、『雲に鳥』（昭和4・柴田書房）を求めた。いずれも佐藤の性格そのものの清楚な詩集である。

全集は、詩人の没後三年目に夫人が亡き主人の文藻を収集し、安藤一郎や中村漁波林（ぎょはりん）、大和資雄（やまとやすお）ら弟子知人八名の編集委員を得て刊行したものだ。佐藤清はワーズワースやキーツの研究など英文学者としては斎藤勇や土居光知（こうち）と並び称された碩学だが、戦前の朝鮮・京城帝大を中心に青山や東洋大学

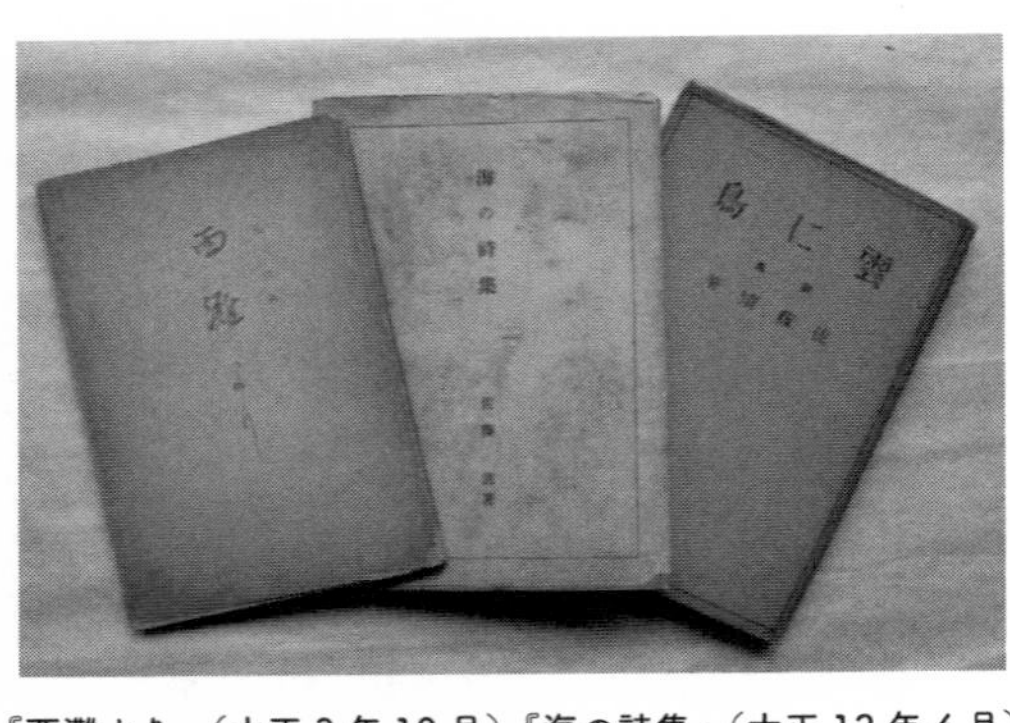

『西灘より』（大正３年10月）、『海の詩集』（大正12年４月）
『雲に鳥』（昭和４年８月）

など数校の教授を歴任するなど、研究職としてはある意味不遇で前記二人に比し知名度は低い。詩人としても十代から亡くなるまで詩藻は絶えることがなかったが、一般的な名声からは遠い存在であった。しかし、生来の人柄もあろうが名声とは別のところで、独自の自足した詩境を育み続けられた点は幸いでもあった。旧制二高卒業までは故郷仙台、後に東京、水戸、神戸、京城、また東京と住居が変わったのも、詩藻を得るにはある意味で不幸ではなかったろう。父は漢学者、家庭的な環境もあり十六歳でキリスト教の洗礼を受けている。詩作は漢詩、短歌をはじめあらゆる分野を手掛けたが、旧制中学時代に出会った四歳上の大須賀乙字の影響で始めた俳句の存在は大きいように思う。全集第一巻には二七〇句ほどが収録されているが、十代の作も晩年の作も句境に変化は無いように見受けられる。

現代詩を論じた数々の詩論はそのまま俳句にも当てはまる。まず、第二詩集『愛と音楽』（大正8・私家版）に収録の「律の発生」と題された三聯詩の一部を引用してみよう。言葉、殊に日本語への強い意識が伝わる。

耳より耳に、口より口に、

血より血に、霊より霊に、
つたはり、つたへられ、ひろがり、ふえ、つくるなく、
あらゆるおもひとねがひとをわれにみたしめ、
あかしむる処女なる言葉、日本の言葉、
なにものにもまさりてなつかしき、
あれはてしわれらの言葉のうちに、
かくてわれこの愛着にはげまされ、
あたらしきいのちの律を造らん。

もっと引用したいが、第三巻「散文・訳詩」篇巻頭の「言葉と韻律について」（大正11）では次のように書いている。

詩の形式について言うと、詩は言葉の音楽的表現である。あるいは音楽的になった言葉である。もっと精しく言うと、言葉は詩の形式の要素で、韻律はその要素の有機的統合である。（略）言葉が音楽的となるためには、言葉は詩人の気分のままに自由になるべきである。

乙字についても二篇の評論を書いている。

乙字の理論の最も重要な点は、俳句が純客観の表現であるという説を捨てて、主観性の客観化にあるとしたところである。おそらくこの考えは十九世紀ロマンチックへの反動として、現代の詩人たちに唱えられてしかるべき考えであろう。（昭和13年「乙字の俳句理論」）

また、感銘深い乙字の俳句二十二句も上げているが、そのうちの五句だけ引用してみる。

雲流れても流れても星一つ鳴く蛙
夜食ひとりのことりともせず火蛾一つ
木枯の身一つに甕水もなし
寒雁の声岬風に消えにけり
落葉掃くは亡き母のうしろ姿かな

佐藤清の俳句

佐藤清の文学活動は古く、河井酔茗の『文庫』、海老名弾正の『新人』、『六合雑誌』、第一書房の『詩聖』など明治大正期の雑誌が舞台であった。俳句も初期の作品は『文庫』や旧制二高の『尚志会雑誌』、河東碧梧桐の『続春夏秋冬』（明治39）収録である。最後の俳句は昭和30年のものだが、新しいものから古い時代のものへ逆に私好みの句を選んで列記してみる。

露涼しからんげに遠き遠き道
雲の峰さえぎれど面影うかぶなり
かきつばた咲いてしずもるみどりかな
木枯や新聞にさらす学の恥
日影急に障子を去りし時雨哉
足利の機場も古りぬ桃の花
夢の如く水引の花咲にけり
白露の野を一望に臥してあり
武蔵野の露ひとすぢの夜明かな
雨蛙なけば林檎の花散らん
春の雨古池生きてゐたりけり
もののけにたちすくむ森や夏の月
光りだけ空より薄き春の星
うれひつつ雨なき麦の穂をかみぬ
古陶古磁面影のこる五月かな
碧落にせまりてにほふ桜哉
雪晴れや空にうつらふ枯木立
ふところ手して馬鹿のぬくさよ末枯るる

日の光何ちりばめて牡丹咲く
綿羊の下に眠るブレークの柳
花散つて芽の出そろはぬ立木かな
寂寞をたのしむ僧やつつじ咲く
黍の月嵐の中に上りけり
川上る帆のすれすれや花大根
雪解の曠野に来る牧者かな
酒かもす男折りけり菊の花
冬構棕櫚ことごとく包みけり
やまんとして芙蓉折れたる野分哉
柿紅葉隠士にもあはず村十戸

以上、佐藤清の俳句について書いてしばらくしてから、キーツの詩について興味を持ち、意識して佐藤のキーツ研究書を集めるようになった。日本のキーツ研究はかなり盛んで、出口保夫氏の個人訳になる『キーツ全詩集』全四巻別巻一冊（一九七四・白凰社）はじめ、詩集の翻訳者だけでも相当な人数になる。その中でも佐藤のキーツ研究は早い方に属する。大正13年6月刊行『キーツの芸術』（研究社・東京帝国大学英文学会編）と昭和24年6月刊行『キーツ研究』（英詩研究社）にまとめられているが、特に後者は版元を変えて何度も読まれてきた。『佐藤清全集』には収められていないが、その「キーツ

詩抄」は両書に引用された翻訳を採取したもので十三篇を収める。その内の一篇「ミルトンの髪の毛を見て詠める歌」の第一聯は、

渾然たる音律の首領！
天体の老いたる学徒！
汝の霊は決して眠ることなく、
我々の耳をめぐる。
永久に、永久に！
おゝ、何といふ狂はしい努力を
　為すか

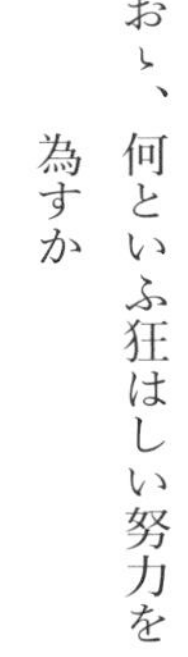

『キーツの芸術』（大正 13 年 6 月）

汝の聖なる高貴なる柩に
詩と音楽の燔祭をささげんと
欲するものは、

『全集』収録の同詩は微妙に言葉を変えている。先に引用した「律の発生」「言葉と韻律について」にも明らかなように、韻律への強い拘りがわかる。ワーズワースやキーツの翻訳を読んでも日本語の詩と

して堪能できる。佐藤清はそういう詩人であり、その俳句は早くから完成していたようだ。

2　国民詩人・北原白秋と自由律俳句

白秋の俳句

北原白秋（きたはらはくしゅう）には没後、木俣修によって編まれた句集『竹林清興』（昭和22・靖文社）がある。白秋個人には句集刊行の意図はなかったが、木俣によって様々な雑誌やノート類から三〇三句が集められた。巻末には、『俳句研究』昭和18年3・4月号に掲載された、木俣による「北原白秋と俳諧」及び「編纂小記」という二つの論文が収められ、白秋の俳句についてはほぼ言い尽くされている。しかし、白秋の『真珠抄』（大正3・金尾文淵堂）の「短唱」形式などが、荻原井泉水主宰『層雲』や中塚一碧楼主宰『海紅』による自由律俳人たちに影響を与えたとする説にはやや疑問もある。井泉水が『層雲』誌上で大正11年ころに、白秋の「短唱」について批評を試みているというが、私はまだ確認していない。大正13年に白秋らによって創刊された短歌雑誌『日光』には、萩原蘿月が同人として参加。白秋は蘿月と親交するようになって自由律俳句を試み出したという。大正3年刊行の『真珠抄』と井泉水が白秋を論じた大正11年との時間的ずれ、また井泉水と一碧楼、蘿月、それぞれの自由律俳句の違いを考えると、問題はそれほど簡単とは思えない。

木俣の引用によれば、白秋は井泉水に対し「私の執つてゐる態度はその詩より出発して短唱となり、簡潔なる自由律の短詩へ緊縮しようとしてゐます。その象徴の手法に於て。で、飽くまで本然の自由律に依拠しようとしてゐます。この私の眼から見ると、貴兄たちのまた新俳句の自由律なるものは、矢張り全然の自由律ではないと思ふのです。どこかに囚へられてゐると思ひます」と、その違いを述べているという。外形的には同じに見えても、そこに至る経緯と表現法の微妙な違いは、表現者本人にとっては大きな問題であり、ちょっと比較して見ただけでは何も見えて来ないであろう。

木俣の論の中に、白秋の短歌の俳句化の試みが五例挙げて紹介されている。興味深いので三例を参考に引用する。俳句は一字下げておく。

日の盛り細くするどき萱の秀の蜻蛉とまらむとして翅かがやかす

　萱の秀に蜻蛉とまらんとする燿きなる

おのづから水のながれの寒竹の下ゆくときは声たつるなり

　寒竹の下ゆく水となりにけり

澄みとほる青の真竹に尾の触れて一声啼くか藪原雉子

　一声は閻羅が咳か寒の雉子

さて、白秋の俳句とはどんなものか、『竹林清興』より、私の目から見て面白いと思う作品を抜き出しておく。国民詩人白

『竹林清興』（昭和22年）、『白秋追憶』（昭和23年3月）

秋の童謡や詩と共通した世界がそこにもあるだろうか。

向日葵や街ではづれて汗を拭く
母に手を曳かれて遠し蟬の声
雨の照る竹林の見えて夏野かな
蜩や斜めさがりの照りかへし
青黍や向ふ遠田の蓮みな白き
朝霜や寒竹林の鉦の音
枯黍やひようひようとして風遠し
降れ降れ時雨小さき木魚をわれたたかん
榧の木に榧の実のつくさびしさよ
世の鹽をなめて信あり花生薑
かんな屑のかろさよ蕗の薹が出た
孟宗のさむい揺れ円い月がある
行き過ぎて卯の花の皆白かりし
初夏の星座が蜜柑の花がにほつて
ダリアを向け換へて明つた電燈
新緑の町へ来る汽車の音です

ひなたの青木のあかい果ふたつ
雑木の新緑見おろして何か光る木
いつまでも見えてる人麦畑の畔あるいて
この墓地青山椒の香がする
風に出て朝鳥狩する香ひかな

何度か繰り返して読むうちに、「母に手を曳かれて遠し蝉の声」や「朝霜や寒竹林の鉦の音」「枯黍やひようひようとして風遠し」など音まで聞こえてきそうな、やはり白秋独特の世界だなと思えてくる。自由律の句も多い。
『真珠抄』からも俳句らしきものを紹介しておく。

潤ほひあれよ真珠玉幽かに煙れわがいのち
哀れなる竜胆の春の深さよ、あな春の深さよな
磯草むらの螽斯鳴かずにゐられで鳴きしきる
木が光りゆらめくぞよとめどなき鳥春の鳥
とめどなや風れうらんとながるる
山が光る木が光る草が光る地が光る
蜥蜴が尾をふる血のしみるほどふる

散ろか散るまいかままよ真紅に咲いてのきよ
息もかるし気もかるしいつそ裸で笛吹こう

これらは『竹林清興』に収録されていないが、自由で躍動感にあふれている。井泉水が注目したのも分かる気がする。

前田夕暮『白秋追想』

白秋の友人である歌人前田夕暮（まえだゆうぐれ）に『白秋追憶』（昭和23・健文社）という本があるが、白秋の俳句について触れた「俳句と児童自由詩」と題する、終戦後に書かれた十頁の文章が収められている。夕暮が所持する白秋の俳句の半折や短冊の話から筆を起こし、共に発行していた短歌雑誌『日光』大正15年5月号掲載の白秋の俳句作品「春の蚊」から二十句を選び紹介している。一時自由律で短歌を書いた夕暮が好感をもった作品である。全部紹介しよう。

ひらひらの黄の蝶や白や光る萩の芽に
春の蚊ふつとたたいた
初夏だ初夏だ郵便夫にビールのませた
筍掘り掘り菫見つけた
飯の白さ梅の若葉の朝

地に影梅若葉の朝

光線を踏みたんぽぽ咲き過ぎた

食後に白い蝶みてゐる

風あり海岸の桜照つてる

蝶々蝶々カンヂンスキーの画集が着いた

もうすかんぽも伸びたかなといそがしがつてる

春の蚊だ竹林に風呂立ててゐる

つくづくさびしいと杉菜見てゐる人

杉菜そよ風竹の影になつた

牡丹の葉が目立つて来た日の照り

道ばたたは白い木苺老けた

桜くろんだ小学校すでにひけてる

すかんぽぽつきり折つた音です

子が靴の土ほこり麦の穂が出た

蚕豆の花だよ紫の眼がある

お馬お馬あしびの花も過ぎたよ

夕暮は、これらを「短歌よりは寧ろ素材の選択も自由であり、表現も端的で、よく口語を生かしてゐる。短歌では口語表現がなかなか困難である場合が多いが、これらの作品ではむしろ淡々とした態度で表現してゐるので、自然に感じられる」と高く評価している。

木俣修も前記の『竹林清興』巻末の「編纂小記」で、この『日光』掲載の自由律句に触れて左のように書いている。

定型句に対する一とほりの修練はすんでゐる。それに白秋は大正初期に於いて、俳句を意識しない短唱――かの「真珠抄」の作品など――を発表してゐる。このやうな素地の上に立つて意識された自由律が生れたのであるから、これらの作品が面白くなからう道理はない。

しかし、第一章、二章で見て来た自由律俳人たちの作品に比べると、陰影が薄くて深さに欠けるように私は思う。先に紹介した『真珠抄』の短唱作品の方が詩としての可能性を感じる。

木俣は「白秋は詩や歌の制作に対する情熱にちかいものを、ほんの僅かの期間ではあつたが自由律俳句の上に持続したかに見える」、「然し『山茶花』の発表された昭和二年二月を以て自由律俳句にも亦永久に訣別してしまつたのである」と書いているが、それはやはり白秋自身も満足するものでなかったからだろう。

前田夕暮の俳句

最後に前田夕暮の俳句も紹介しておこう。『前田夕暮全集』第五巻（昭和48・角川書店）に大正13年から14年に作られた七十九句が収められている。十句をあげる。

門戸に日がちろりとさして暮れた
青葡萄酸ゆしとはみて朝をゐる
葡萄はみてたねふくみたり何か寂し
春あさしミレーの木履はく
檜葉垣のささなき沼に靴をふみ込む
空想の深みよりめざめて羊歯をみる
うすき羽の緑の蛾ゐて羊歯しづか
石仏ぬれたり朝の羊歯の雨
羊歯の葉をたべゐる夢はしづかなり
ろばがふる尾の短さや鳳仙花

定型に近い作風である。私には白秋の句よりもはるかに好もしく感じられる。

3　鷲巣繁男――流謫の詩

通信兵から開拓農民へ

鷲巣繁男（わしずしげお）

荒畑を打つや　突風兒を泣かせ
切株に兒が泣きのこる畦幾重
土くれの波うつ果てに兒が翳る
芽木ひかる　兒の尿高くさゝげしが
笹の根を焚き　地の果の妻子と思ふ

山之口松

山羊の頭の灼爛れたる雲と雲
牛つれて夕べ裸のにほふまゝ
傷の上に夕月しみる夏草や
草刈の傷のかはかぬ虻の下
肥擔ぎうすき虻背にかゝりたり

右は、戦後創刊された新俳句人連盟の『俳句人』第一巻六号（昭和21年9月）に並んで掲載された作品である。

鷲巣は、志願と召集による二度の兵役を終えて帰還後の昭和21年春、彼を俳句の世界に導いた関葉太郎の勧めにより、山之口松をも加えた三家族で、北海道石狩国雨龍郡沼田町五ケ山に開拓者として移住した。雪が三メートルも積もる極寒の地だ。彼らは富澤赤黄男が創刊した『火山系』の同人であった。鷲巣は横浜育ち、金鵄勲章を受けるほど有能な通信兵であったが、農民出身でもなく、俳句は中国戦線従軍中に罹患したマラリアと心臓脚気により入院した市川市の国府台陸軍病院で始めた（つまり当時言うところの白衣勇士の俳人）という経歴の持ち主である。過酷な厳寒の地で開拓農民になるなど無謀というしかないが、右はその頃の作品である。詩人による開墾というと、福島いわき平の三野混沌や猪狩満直が思い浮かぶが、彼らは生粋の農民でありながらもその生活は過酷を極めたと記憶する。福島よりも遙かに北方、その厳しさは想像に余りある。

鷲巣繁男の名を知ったのはかなり古い。神田の八木書店は特価本の卸大手だが、そこを覗くようになった古い昔、牧神社の本が在庫されていて目を引いた。その中に鷲巣繁男の『牧神の周邊』（昭和54）や『ポエーシスの途』（昭和52）があった。『記憶の泉』（昭和52）があったかどうかは記憶にない。牧神社が倒産したのは昭和54年、鷲巣の著書が出て間もなくだ。刊行から間がないにも関わらず、白い箱は何故か汚れているものが多かった。牧神社は東大の英文学者・由良君美をブレーンとした菅原貴緒経営の出版社で特色ある出版物を残したが、高踏的な出版社が長く存続したためしはなく六年ほどの歴史だった。やがてその特価本在庫も無くなり、沖積舎から再版されることになったが、それも売れたとは申し難いだろう。鷲巣のような詩人の著書は一般に広く読まれる内容ではない。一部に熱狂的なファンがいるのだ。私のような単純な思考の持ち主には実の所手に負えない存在である。ただ、鷲巣の詩業が、富澤赤黄男と深くかかわりながら俳句から始まったことを知るに及んで俄然興味が湧いてきた。赤黄男の『天の狼』（昭和16）刊行の実務にも、関葉太郎と共に関わっている。興味と共に理解の手掛かりを得たということである。

鷲巣の俳句に関する著書は現在知り得た範囲で左記のものがある。


『定本鷲巣繁男詩集』昭和46年9月、国文社、「舊句帖　石胎」収録。

『詩の榮譽』昭和49年6月、思潮社、「クオー・ヴァディス――富澤赤黄男の追憶」収録。

『狂氣と竪琴』昭和51年6月、小澤書店、「旅寝のはて――芭蕉のアイロニイ」、「運動と邂逅――永田耕衣全句集『非佛』の意義」、「與奪的修羅の磁場――永田耕衣讃」収録。

『石胎　鷲巣繁男舊句帖』昭和56年2月、国文社。

『富澤赤黄男全句集』付録栞「富澤赤黄男師への誄」平成12年12月、沖積舎。


他に、鷲巣の生涯を詳細に追った、神谷光信による『評伝　鷲巣繁男』（一九九八・小澤書店）がある。その第四章「狂気と竪琴」の中に、「新興俳句運動」「安住敦と富澤赤黄男」「合同句集『磨日』」「再動員の日々」「富澤赤黄男と『旗艦』」「関と繁男の活躍」という節がある。これでおおよその繁男の俳句との出会いが想像できるだろう。

『石胎　鷲巣繁男舊句帖』の「あとがき」でも、昭和14年12月に入院した市川市の国府台陸軍病院で佐村敏郎（童笛）と関葉太（後の葉太郎）に出会い、すすめられて病院内の俳句会（四阿グループ）に参加、やがて『旗艦』『土上』にも投句するようになり、戦後も赤黄男に従い『火山系』『薔薇』に同人として参加する過程と、当時の思いが詳しく語られている。最初に引用した句も、俳歴七年の作だが、鷲巣の俳句は戦争と深くかかわっていたことになる。俳句ばかりでなく、鷲巣の生涯と文学は戦争の蔭を背負ったものだったようだ。

繁男は昭和25年に第一詩集『悪胤』を刊行する。そのタイトルとなった詩「悪胤」は次のような詩だ。

砲身は夜々むせびないた。
涙びゆくものを孕める
この悪胤のうめき、
黒雲をゆびさす憎悪に。
――かくも私は形を愛したか！
砲身は夜々むせびないた。
ひかりは　わが狂気　喘ぎに似て、
無限への疲れ果てたる受胎。

ああ　憎むべき蔑むべき霊感よ。
――かくも私は形を希ふのか！

嘲笑する　かの夕焼雲を
狙ひ撃て、砲身よ！
虚無の夜はわが像より
影をうばひさり、汝とともに
――わが裸形泣きつつうたつた。

生まれながらにして何か背負うべきものを持たされたのであろう。評論集『詩の榮譽』に、「流謫の汀――詩の儀禮空間のための覺書」という文章が巻頭に収められている。「詩と思想」第七号（一九七三年四月）に掲載されたものだ。ここに書かれていることが、繁男理解の鍵になるような気がする。

戦時中の青春時であるが、中原中也の詩句にめぐりあふ。

………
夏の日の午過ぎ時刻
誰彼の午睡するとき、

私は野原を走つて行つた……
私は希望を唇に嚙みつぶして
私はギロギロする目で諦めてゐた……
噫、生きてゐた、私は生きてゐた！

わたしは感動したものである。だが、わたしはその故を知らなかつた。今にしてわたしは、それが流謫のうたであると感ずる。しかもそれは、その前に歌はれる

地平の果に蒸気が立つて、
世の亡ぶ、兆のやうだつた。

と呼応し息づいてゐるものだつた。これは世俗の中で最も中心となる肉体といふものが、墜ちてゐると或る時ふと感じる束の間の魂の確認である。（略）わたしは永い野戦の世界から帰つた人間であり、わたしのその辛く恐しく、惨い経験の記憶が中原の詩にめぐりあつたのである。

人が詩に出会うとは、詩の持つ内容と韻律が己の内部にあるものと共振するということだろう。散文と詩の違いは韻律の有無に関わる。理解ではなく共感である。

「内部震撼なくして真の韻律は生じない」

鷲巣と同じ『日本未来派』の同人であった窪田般彌(くぼたはんや)は、「詩と儀式――『定本鷲巣繁男詩集』」(「木星」一九七二)で「詩が主体性のない語呂合わせや不毛な観念遊戯でないことを若い私に教えてくれたのは、ヴィヨンの詩のように人間臭い鷲巣氏の「愛」の詩であった」と書き、また鷲巣の第四詩集『メタモルフォーシス』(一九五七・日本未来派)の「覚書」より数行を引用して、鷲巣の詩の本質に触れている。この一五〇〇字程の「覚書」は鷲巣の詩論とも言えるものだ。私なりに一部を引用する。

主体的には詩は志であり、この古風なる語は、時空に挑む実存者の意志として展開されねばならない。(略)

日本詩がその情緒性に於てのみ継続する限り真の詩の確立は訪れない。新体詩以来その限りなき変貌に拘らず、一貫するのは情緒であり、方今のヒューマニズムもコミュニズムも詩に於ては一に情緒性に支へられてゐるところに脆弱性がある。(略)

内部震撼なくして真の韻律は生じないであろう。語呂合せは主体性無き遊びに過ぎない。意味の断絶は、生が深淵・断絶であるといふことに根ざし、言葉が無に挑む意志であるといふことに支へられてゐる。

そうした韻律を尊ぶ詩人・鷲巣に短歌、俳句作品があるのは当然かもしれない。ただ詩作の中心を現代詩（自由詩ではなく）に置き、短歌・俳句という伝統詩の制作期間は数年に過ぎなかった点は、個人的な資質によるのか、短歌・俳句そのものに潜む限界によるのか深く考究されなくてはならない。

鷲巣は『定本鷲巣繁男詩集』に漢詩・俳句は収録したが、短歌は除外した。十一歳から八、九年続けた短歌だったが、「短歌の陥りやすいセンチメンタリズムを避けるため」に「殺戮の時空」であった中国従軍中も感傷よりも悲壮をと漢詩を選んだが、戦後、前述したように北海道での農地開拓と札幌での流寓時代を経て、埼玉に移転する直前の数日間に百数十首を詠んだ。それが『蝦夷のわかれ』（一九七四・林檎屋）である。この作品は大きな反響をもって迎えられた。「詩を精神の構築と信じ、歌を鎮魂の業」と考える鷲巣の短歌である。数首を紹介する。（正字を新字に替える）

地の涯に苦くかなしくありし日がなほわれを搏つまたの旅出に
道の辺の死を恋ふ心はげしくて白毛を鏡の底の異國にぞ焚く
海峡の夕光に戯れる海豚の群なれは秘めるや死者の王国
大いなる海霧にひたりて物言はぬ妻と幼児われのみの畑
肉体を灼く真日のたぎりに匂ふとき地に嘆くべし黒き拳は
子と仰ぐ穹の王国その青の炎ゆるに鳥は溺れ消ぬべし
鳥墜つるこの音もなき葦原の空の悲しみ昼月を食む
いくさせしわが生命ほど軽きよと子にかたつむり握らすぞ夏
永遠を灯すごとくにランプといふかなしきものを中心に吊す

わが離る畑は雪山われを乗せ橇は鋭く削りゆくなり
金鶏勲章を売りし酒ぞと酔ひ伏せば汝が浄瑠璃もわれを泣くかよ
くち少しあけて眠れるゆきずりの娼婦の部屋ゆ日日の勤めに
凍原の涯に抱かれて汝があげる歓喜は小さし怨むごとくに
涸れし詩抱きうづくまるわれの背に夢の少年銀の鞭振る
少年兵の死顔美しと見返りつわれは歩めり虚無の野末へ
密林の友の頭蓋を照らすほど渦巻き爆ぜよ蟹座星雲
捕虜にても地の涯にても生きてあれと母は泣きしを父は怒りぬ
亡国の北の果ぞと泣きてわれも殴れり君も殴れり

私にはこれらもまごうかたなき詩と映るが、「精神の構築」かと言われれば否と答えるしかないだろう。俳句はどうか。
俳句の師であった富澤赤黄男について鷲巣繁男は次のように書いている。

富澤さんは、俳句に宇宙的感覚を導き入れた詩人である。日本の地上的・箱庭的自然にギリシア的世界を展開したのである。それも、古典期の整つたギリシア美といふより、寧ろプレ・オリムポス神族の世界や、ディオニソス的陶酔の世界と言ふ方が適切かもしれない。（略）赤黄男のダイナミズムは、さうした神話的思考に密着してをり、また密儀にも近接してゐるのであつて、やがて末期の削剥の孤独をも予感してゐる。力溢れるエネルギアと禁欲は一人の詩人の中で密儀的に繫がつてゐたに違ひない。
（クオー・ヴァディス　富澤赤黄男師の追憶）

また、次のようにも書く。

晩年の孤絶的な『黙示』の句群の或る傷ましさを単に挫折としか見ぬ人は《創造の道》の誠実と運命に真に共感出来ぬ人なのだ。（略）その孤独と不遇は、しかしその故に芸術家の悲運と栄光である。
（富澤赤黄男師への誄）

赤黄男の最後の句集『黙示』（昭和36・俳句評論社）に収録された八十句の中で、繁男を捉えた句は次の一句だった。

わが弧絶の無燈の軍艦は脱出せり

赤黄男の第一句集『天の狼』（昭和16・旗艦発行所）の中で繁男が一番好きだったという、

海峡を越えんと紅きものうごく

との関連と同時に、「悲痛の変容」を見ていたようだ。『黙示』の「あとがき」に赤黄男は「私は俳句の〈純粋孤独〉を考へつづけてきた。これもその実験の一つであり、〈詩的純化〉への、私の無残な否定、削殺の様式である」とある。これらの言は、そのまま繁男の詩の世界を語る言葉とも言えるのではないか。

繁男の『石胎　鷲巣繁男舊句帖』（昭和56・國文社）に収められた生涯の句から、紹介した繁男の詩観のキーワード「詩は志であり」「時空に挑む実存者の意志」であり「精神の構築」であるということを念頭に、私なりに選んでみた。「内部震撼なくして真の韻律は生じない」「意味の断絶は、生が深淵・断絶であるといふことに根ざし、言葉が無に挑む意志である」という詩観のあらわれたものであろうか。

麗日の水銀を秘めわが静臥
春愁の「ほまれ」はもろくけむりたり
瀞の逆光おとろへ愁ひさだまりぬ
しんしんと朝霧山を盲ひしめ
老ひ山羊の腹に秋風吹きよごれ
夏天逝き弾痕に棲む蒼い魚
海光のゆらぐに堪へて蝶欻る

『石胎　鷲巣繁男舊句帖』
（昭和 56 年 2 月）

逃げてゆく薄着の海の翳のむれ
ひまわりはみごもり雲の険しさよ
炎天の方向音もなし
苑を踏む夏わが孤り影と灼け
炎天へ噴水の孤独のきはまりぬ
枯葦に陽の傷痕は炎ゆるのみ
観音の素足なまめき氷雨来ぬ
沼燃ゆる月光の薊ほほけたり
草の実や孤り道祖神貌浅く
雷濁り冬木の乾きいきどほろし
みごもりし眩しさ鷗がめぐり鳴き
雷杳く孤独の皿は洗はざる
朴の芽のさみしさゆゑに穹澄める
蘆の芽や鳥が光とすれちがふ
棘のしずかに落葉尽くしたり
わくら葉の堕ちゆく深き地のありぬ
日輪の孤寥雪絶壁をおほひゆき
虹交るわれら地を匐ひ限りなき

虹病めりひとことごとく手を垂れ来
地平線　蟻越えゆきし記憶のみ
鶴わたる旗ことごとく地に焚くべし
風船が去りゆく　暗いよだれの河
ぬらぬらと孤独の雌蕊天の青
冬木皆背き佇つのみ汽笛なれど
鉄の扉に愚かな冬陽踞みゐる
蔦瘠せて冬ぼろぼろの雲ひかる
火の山の火を運ぶ鳥湖を越ゆ
雷一點黙せば蒼き魚帰る
葱刻めば死者は叫びしか
秋林の修羅さへ黄金にまみるべく
青嵐　わが所有はただ死と剣
蜥蜴居て石は光となりゆけり
梨の花散りゆく句をば焚かんかな

繁男的視点で選んでみた右の句中でも「朴の芽のさみしさゆゑに穹澄める」「日輪の孤寥雪絶壁をおほひゆき」「秋林の修羅さへ黄金にまみるべく」など、充分な抒情性に優れながら、かつ使用される言葉がキラキラ輝いていて素晴らしい句だと思う。

敢えて結論を書かねばならぬなら、様々なものを削ぎ落して完成させていく俳句は、繁男の詩魂を満たすには不向きだったという気がする。詩人の残した詩集を見れば、一篇の詩が、一冊の詩集がゴシック建築のように、ある意味過剰に装飾されて完成されている。それは年を重ねるに従い、無縁の者は排除するかのように孤高性を高める。誤解を恐れずに言うなら、高貴な詩魂を宿す詩人にとって理解し易さは嫌悪すべきものだった。それは、詩集『悪胤』(一九五〇)、『末裔の旗』(一九五一)、『蛮族の目の下』(一九五四)、『メタモルフォーシス』(一九五七)、『神人序説』(一九六一)までなら凡人にも食らいつけるが、以降の詩は難解に過ぎる。繁男の句作はその前期に連動していたのだ。

4　木下夕爾――孤独に堪える

孤独に堪え抜いた詩人

木下夕爾（きのしたゆうじ）（大正3―昭和40）は、前節まで取り上げた鷲巣繁男とは、戦時中は同じ俳誌『多麻』の同人ではあったが、対極にある詩人である。また夕爾にとっての俳句は余技的なものではなく、生涯にわたる自由詩と同等の意味を持つものであった。夕爾の詩業の意味を大岡信は左のように書く。

木下夕爾の詩の中には、近代化された日本の大都市の生活から急速に消えゆきつつある自然の息づかい、安らぎがある。詩的誇張も大きな身振りによる現代的苦悩の告白もない代わりに、うつろってゆく事物のささやかな瞬間の命を、言葉に救いあげ、不死のものにしてゆこうとする堅固な意思がある。これは日本の伝統的な詩である和歌や俳諧の巨匠たちの抱いていた意思でもあった。

（花神コレクション『木下夕爾』より）

また中桐雅夫は、夕爾を「風景的抒情詩人」とした上で「彼の詩に、きびしさや強さを求めれば失望する。孤独を歌っても、彼の場合は、怒りも反抗もない」「おだやかで、鬱屈するものがない」と

書く一方で、

　立ちてねむる家畜に月の鰯雲

など四句を紹介して、その俳句を「彼の詩とはまた違った味がある」と評している（『日本詩人全集33　昭和詩集1』）。

夕爾の俳句については、朔多恭（さくたきょう）『木下夕爾の俳句』（一九九一・牧羊社）によって、平明な田園詩人と言った一般的な評価を超えて、その深いところまで言い尽くされている。ここでは夕爾の代表作とされる、

『含羞の人　木下夕爾』（昭和50年9月）
『木下夕爾全句集』（昭和57年4月）

　家々や菜の花いろの燈をともし

といった作品ではない、違う面の作品を紹介したい。没後十年記念に刊行された『含羞の詩人　木下夕爾』（昭和50・福山文化連盟）に収録の、友人・村上菊一郎の「木下夕爾追悼」（元『春燈』昭和42年4月号）末尾の言葉、「孤独に堪え抜いた詩人」という評価に共感を覚えるし、夕爾もまた村上の詩集『茅花集』（昭和23・浮城書房）収録の「春日感懐」、

わがうたのさがはかなしも
はるのひのつばなのごとし
ひとしれずはなこそひらけ
いつしかにたけてはかなく
ただひとりただひとりゆゑ
ちりゆきてゆくゑもしらに

を引用して、「ちがやの花はあはれふかい花である。その日その日のいのちかけた自分の詩の運命をおもつて、心やさしい詩人がときをりの感懐を託すのにふさわしい」と書いている（「二つの茅花集」『春燈』第五巻九号・昭和25年9月）。これは夕爾自身の思いや姿とも共通のものだと思う。夕爾にも茅花の句が三句ある。

手にあまる茅花よ電車はやともり
貨車通る風のつめたき茅花かな
茅花野につづきてしろき波がしら

夕爾が残した俳句は、『木下夕爾全句集』（昭和57・広島春燈会・昭和41年牧羊社刊『定本木下夕爾句集』

が母体）に五六四句が収められている。その中から、村上の言う「孤独に堪え抜いた詩人」という観点から、私が選んだ句が左である。太字は朔多が著書の中でメインとして紹介解説している句である。

焚火消えて真如の闇となりにけり
猫柳つめたきは風のみならず
哀憐の日ははるかなり青き踏む
鐘の音を追ふ鐘の音よ春の昼
春の燈やわれのともせばかく暗く
驟雨くるくちなしの香を踏みにじり
罪障のかくふかき汗拭きにけり
林中の石みな病める晩夏かな
いくさ果つ秋の燈はてもなくともり
秋の日や凭るべきものにわが孤独
海鳴りのはるけき芒折りにけり
繭に入る秋蚕未来をうたがわず
繭の中もつめたき秋の夜あらむ
秋天や最も高き樹が愁ふ
めつむりて凩をきくとにもあらず

川あはれかく枯草に絞られし
枯野ゆくわがこころには蒼き沼
噴水の涸れし高さを眼にゑがく
冬の燈や泣くとにあらずうづくまり
いつ尽きし町ぞ枯野にふりかへり
春の月疲れたる黄をかかげけり
さへづりや昏れなやみゐる野の一樹
厨水暮春の音をなしにけり
薔薇の前にゐて思ひをるさみしきこと
朝涼や蟬の羽を透く山幾重
遠冴しづめて泉あをかりき
茄子の紺ふかく潮騒遠ざかる
聖樹下にゐてわれつねにユダに似る
おし移る冬野の雲に誘はれぬ
寒風の刷けば媚びもす水の面
朝市の鮟鱇の眼に見られて過ぐ
かじかみてつぶやくはみなおのれのこと
雛らの見てゐる暗き雨の海

春驟雨すぎたる墓の群に遭ふ
薫風の頬をはしりさるわがなみだ（師久保田万太郎追悼）
蕊深く薔薇のゆるせる雲の影
ひとの手のつめたき記憶夜の秋
月涼しこころに棲めるひと遠く
曼珠沙華わが満身に罪の傷
秋草を出て秋草に消ゆる径
つつむものあらず曠野の夜の霧は
孤独なり冬木にひしととりまかれ
梟や机の下も風棲める
冬園のベンチを領し詩人たり

「いつ尽きし町ぞ枯野にふりかへり」までが、昭和34年に春燈社から刊行された句集『遠雷』収録句である。昭和20年8月から昭和34年2月までの作品である。

木下夕爾は、安住敦が昭和19年1月に高橋鏡太郎、八幡城太郎らと創刊した『多麻』に初めて俳句を投じ、戦後、安住が久保田万太郎を選者に昭和21年1月に創刊した『春燈』誕生から積極的に参加することになった。安住から求められて創刊号に掲載されたのは、

海鳴りのはるけき芒折りにけり
青みかん夜汽車にひとり覚めてをり

の二句であった。ただ、夕爾は詩の創作との摩擦に苦しみ、詩人としても俳人としても寡作に終始した。

私も所属する同人誌『鬣』の同人・九里順子は宮城学院女子大学教授で、同校の研究紀要にねばり強く木下夕爾論を発表し続けている。研究者とはかくなるものかと気付かされる緻密かつ文学的な研究である。

・「木下夕爾、『生まれた家』の〈現実〉」（日本文学ノート第52号、二〇一七年七月）
・「木下夕爾『笛を吹くひと』——不在のリアリティ——」（同第54号、二〇一九年七月）
・「木下夕爾、「生きられる」という生き方」（宮城学院女子大学人文社会科学論叢第29号、二〇二〇年三月）

この他、書き下し一篇を含む七篇の論考を纏め、最近『詩人・木下夕爾』（二〇二〇・翰林書房）を刊行している。

右にあげた最後の論考に「『春雷』の句作」という章がある。夕爾は、昭和36年1月に広島春燈会の機関誌『春雷』を創刊、自作を発表すると共に会員から寄せられた句選と選後評を亡くなるまで担当した。九里は『春雷』における夕爾の句作を、久保田万太郎の主張する、俳句は「即興的抒情詩」という信条を継承したものとしている。ただ、『春雷』時代の句は、昭和34年7月に刊行した句集『遠雷』の浪漫性や瑞々しさからは離れ、「虚無、終焉、内攻」を感じさせる内容に変化していると指摘している。

『春雷』は夕爾の没後、昭和44年12月の第三十二冊まで刊行されたが、私は未見である。九里が論考の中で取り上げている句をあげておく。太字は『全句集』未収録である。

秋草に坐し埋もれて愛もなし
夜の胡桃打ち割られ食ひつくされぬ
枯蔓のつかみそこねし物の距離
枯るるもの枯れて瀬の音あきらかに
窓に大冬木読み終へし書を閉ざす
新日記の天金指にのこりたる
枯芝に木靴の音曳き修道女
寒夕焼見んとて坂をのぼりしにあらず
寒禽に瀬は音ひそめ年新た
蔓草も秋立つ雲をまとひけり
秋草もひとの面輪もうちそよぎ
秋の日や凭るべきものにわが孤独
寒の日のしづむ赤さをみてたてる
ひとすぢの春のひかりの厨水
生涯に一つの秘密レモンの黄
若きらは若きかなしみ春驟雨

森あをくふかくて春の祭笛
花冷えのどこかに鉄鎖の軋る音
青空の青ふかく薔薇傷みけり
東京を去る外灯にまとふ霧
梟や机の下も風棲める
冬夕焼溜めて貝殻踏まれけり
裸婦像に向ひ人間の汗ぬぐふ
榾火あかくあたらしき闇ひろごれり
川風の吹き上ぐる蝶みな白し
花過ぎし風立てあそぶ水の上
春昼の波さは立ちて岩を越えず
足もとに街衢歪める蟻地獄
負けたりといふにもあらず汗を拭く
窓の一つ今日も盲ひて芦咲けり
冬虹の弧の中にして港町
仏具照り極月の顔うつりけり
枯れ急ぐものに月かくほそけり
書庫を守る鍵鳴り落葉乾き反る

花八ツ手満月路地をはなれけり

朔多恭『木下夕爾の俳句』にも、左の『全句集』未収録句が取り上げられている。全句集といっても、全作品が収録されたわけでないのだ。

麦の芽の鏡にうつる家居かな
君の瞳にみづうみみゆる五月かな
春の虹船も弧をもてならびたる
鶏小舎に卵のしろき春祭り

閉ざされた夢

夕爾は昭和7年、第一早稲田高等学院（仏文）に入学するが、昭和10年には養父の家業をつぐために退学、改めて名古屋薬学専門学校に入学、昭和13年に郷里、広島県福山市に帰郷して終生薬局を営む道を余儀なくされた。東京において文学に生きる夢が閉ざされてしまった。その青春期の挫折感が生涯にわたる「心の錘」として夕爾から離れない。「青春の挫折をその後の時間で埋め合わせるのではなく、心の錘として現在を生きる、取り戻せない時間を痛切に認識することで内面化する」ことが夕爾の文学であったと九里は書いている。別の論文では夕爾文学の核を「実質はここにはない」「不在が真実である」という思いと表現もしている。

朔多恭も、昭和38年の夕爾の俳句、

大寒の日のいま山にしづむなり

を取り上げて、同じく心ならずも東京を去り郷土に定住した飯田蛇笏との共通性を指摘する一方で、左のように資質的な違いを指摘している。

この両者の差異は、心情や感性というよりもむしろ資質的なところからきているのだと思う。たとえば、蛇笏が故郷に定住することに強い決意をもってのぞんだのに対して、夕爾の場合は、決意というほどの強い自己規制によって事を行ったとも思われない。故郷定住もやむえないと思いながらも、こころの揺れ動く日のあったことは彼の詩作品を読めば歴然としている。

九里と基本同じ理解である。おそらくそれに違いはないと思うけれども、青春期の挫折、心の錘は経験的事実ではあっても、生来の孤独感が深く詩人をとらえていたのではないかと私は思う。

友人・村上菊一郎の俳句

夕爾が心を共にした友人・村上菊一郎の『茅花集』(昭和24)の一編、「春日感懐」は先に紹介したが、本当に良い詩だと思う。村上の生前に出した詩集類はいずれも少部数で入手は困難だが、没後編まれた『南果集』（昭和58）と『村上菊一郎全詩歌集』（平成2）を幸い入手できた。共に妻村上教枝さんの刊行である。

昭和16年に青磁社から刊行された『夏の鶯』は限定二百部、昭和24年に復刻版が出た。その中に「無限漂泊」という一編がある。

ぼろぼろのノートを抱へて／風のやうにあてもなく流れてゆこう／蒙疆　江蘇　海南島／國破れて後の幾山河を／春から夏　夏から秋へと／暦を忘れて歩いてゆこう／重たい過剰な思想を棄てて／亡民のむんむんする臭ひの中を／老いた鴉のやうに飛んでゆこう／さうして　どこか／日當りのいい　古風で靜かな／楊柳の生えた河邊に出たら／雲を見ながら　いつか眠つて／苔の蒸した石にならう

また『茅花集』の「いわし雲の……」という詩

いわし雲の夕映　コスモスの花／海鳴りのあひまに聞こえる／時雨のやうなこほろぎの唄／／立ち枯れの日まはり　帰る燕／日が暮れてまだ灯台が点らぬ間の／水夫のやうな孤独な精神／／ここはどこだらう　いまは何時だらう／さうして私から去ろうともしない／このいはれのない悲しみは何ものだらう／／《海よ　海よ　いつも／繰返し始めるものよ！》／ヴァレリーの詩をつぶやいて／／本の上から頭をもたげる私／海に臨んだ小さなホテルに／捉へどころもなく時間は流

れて

『全詩歌集』には俳句五十五句も収録されている。昭和19年11月の句に

茶の花や若き比丘尼の障子貼り

があるが、別に「茶の花」と題された四行詩がある。

小春日和　茶の花が咲く／静止した時間の中で／障子を貼つてゐる若い比丘尼／去年と同じ梢で百舌が啼く

どちらが先にできたのか。「静止した時間」「去年と同じ」静けさが俳句にも確かにある。木下夕爾も『春燈』第十巻八号（昭和30年8月）掲載の「わが俳句修業」で、「私は自分の俳句と詩との摩擦にくるしんだ。私の場合両者の世界の逕庭がない故だらう。私の詩は殆んど全部が多くの言葉をつひやさなくても、そのまま十七文字に圧縮できる可能性があつた」と書いているのとも共通する。村上の俳句は戦中から終戦後の昭和22年にかけてのものが多い。夕爾とも一番接触の多かった時期であろう。

堀割に焼木流れて冬の雨
水湊や小魚も釣れず海暮るる
リルケの詩梅咲く頃に讀み了へぬ
蟬の聲晝寝の夢に通ひけり
秋未だこほろぎの唄の幼くて
老妻に酒ねだらざるを得ぬ西日かな
停電に筆おく主や春寒し
麦笛や山羊の草喰む堤かげ
コスモスや名もなき駅の柵のそと
軍鶏の毛を逆立てて吹く野分かな
秋風やかなかなの声はたとやみ
吾亦紅われも耐えなむ寂しさに

木下夕爾と村上は同質の詩魂の持ち主であったと思う。

5　千家元麿の一行詩と俳句

徹底して平明で純な詩

第一章の最後に取り上げた萩原蘿月の伝記『小説詩人蘿月』を書いた耕治人は、弟子の内田南艸から蘿月の生活ぶりを聞き、自らの師・千家元麿（せんげもとまろ）を思い浮かべた。「千家氏は武者小路実篤氏の強い影響を受けいくつかのすぐれた詩集を残し、昭和23年六十一歳で死んだ。私は十九歳頃から千家氏に師事し、晩年縁あって近くに住み、千家氏の葬儀の世話をした弟子の一人である。私も昭和17年頃まで詩を作ったのである。千家元麿と蘿月は資質に於いて大きな違いがあるようだし同時に論じられないが生活態度に似たところがあるのを感じた」と書いている。

元麿は妾腹のようだが、父は東京府知事を務めるなど家柄が良く裕福な幼少期を送るが、青年期以降は貧窮に苦しみ、それにまつわる逸話や奇行も事欠かない。

耕には創作集『詩人千家元麿』（昭和32・弥生書房）が先に出ている。切ない内容だが、元麿の姿が彷彿とする名作である。「千家は呟く。高貴な千家！　柔和で、美しい千家！　天才達の霊が壁や襖からおりてきて、千家と話しているようだ」と書いている。

日本近代詩史とか詩格に意味があるなら、元麿詩はけして大きな存在ではないのだろうが、親しかった武者小路実篤が、「彼の詩が純で、情熱的で、内から生まれたもので、美に感動的で、貧しき者や、動物に対する同情と愛は一寸類がなかつた」「彼のいゝ詩は日本の詩の内で最高のものだと僕には思われるのだ」（「千家に就て」昭和26、酣燈社『千家元麿詩集』）と書くように、徹底して平明で純な詩ということでは際立つものがあるようだ。

画家・田澤八甲氏の私家版遺文集『白雲はるかなり』（昭和54）という本がある。ご遺族から頂いたのだが、没後10年を記念して出されたものだ。八甲氏は俳句誌『春燈』に俳句やエッセイも書き、またカットなどを描いている。いわゆる馬込文士の一人で、『白雲はるかなり』は『春燈』掲載のものを中心にまとめられている。

収録されたエッセイの一つに「千家元麿のビール」がある。尾崎一雄が褒めた一文という。なるほど、東京・長崎町の千家の貧乏住まいと、飾り気のない詩人元麿の人品が活写されている。八甲の妻が元麿の詩の弟子であったが、訪ねてきた八甲が画家と知ると元麿は自作の絵画を次から次に出してきて見せる。それらは「情熱の湧くままに自由に、自我流に、而もねっとりと愛情をこめて描かれたもので、稚拙な何とも云えない味の、みな親しいもの」であった。八甲は元麿を「少年に化けている神様」であったと書いている。

耕の描いた元麿は痛々しいけれども、内に深く詩神を宿した方だったのだろう。

処女詩集『自分は見た』（大正7・玄文社）には次のような作品がある。

雨

雨が降る、安らかに恙なく
天から地に届く
人通りはまるで無い。自分一人だ。
店々は燈をかゝげ、人が坐り、
永遠に然うして居るものゝやうに見える。
本当にどこに恐れや暗さがある。
雨は往来にさした燈の中に美しい姿を見せて
濛々とした薄闇の世界へ音も無く消えて行く。安らかだ。
ゴト〳〵と荷馬車が一台向う側を通る。
実に静かだ。音も無く雨は降る。

月の光

天地も人も寝鎮る
底無しの闇の中に
どこからか音も無く
ボンヤリと月の光りが落ちて来た。
巨人の衣の裾が天上からうつかりづつて居る様に

貧しい家の屋根の上に
皺をつくつてだらりと垂れて居た。

萩原朔太郎の『月に吠える』が大正6年、室生犀星の『愛の詩集』が大正7年であるのを考えると、元麿の詩の平明さが良く分かる。

室生犀星は、詩話会（大正6年設立の当時最大の詩人団体。年刊『日本詩集』を刊行）を通して元麿とは親しく交わり、その詩を高く評価していた。『我が愛する詩人の伝記』（昭和33・中央公論社）でも取り上げた十一人の一人であった。次のように書いている。

私は偶然に千家元麿の人物印象のことで、萩原朔太郎の顔とか着物の着方とか、その無頓着とかお酒の事とか、ぎょろりと対手方を見る眼のつかい方を想い起したが、結局、この二人の天才詩人は何処かで何かが似ているという一応の見解に到達するのだ（略）
千家元麿の詩にはその生活に無頓着さがあっても、すぐれた作品には澄んだものがあった。その耳の澄み方、心の澄み方というものが、彼の詩の蔭に沈み切っている。ふだん、よろよろとだらしなく見える彼も、作品のうえで別の人のおちつき、感動、ひらめきを見せているのである。

先に引用した「月の光」を、

「月の光」の重々しい物は、全く千家の思惟がここまでとどいている遠さを思わせるくらいだ。ここまでは入っていけないものだが、彼は懐中手をしてぶらりと入って出て、また入り込んでいる見事さを見せている。

と賛辞を呈している。詩に於いて犀星が「天才詩人」と認めたことの意味は大きい。

元麿には、日本では珍しい長編叙事詩『昔の家』（昭和4・木犀書院）があるが、私は詩集『夏草』（大正15・平凡社）に収められた、一行から二、三行の短詩に魅力を感じる。

春の遊びになくてはならない　土筆　（土筆）
雪が降つたが　大地は伸々してゐる　（雪）
春の曙の女神が　早起きの人間を見て驚く　（春の曙）

河は遊んでゐるやうに流れてゐる春　（河）
眠りから　神覚め給ふ　春の曙　（春の曙）
大地と共に　神の眠りや梅白し　（梅）
春の曙は宇宙無比、他に比べものもない　（曙）
これが人の世か　静かに梅が咲いてゐる　（梅）
春は仙術者　幻の花が咲く　（春）
土筆摘む化物屋敷の庭に入り　（土筆）

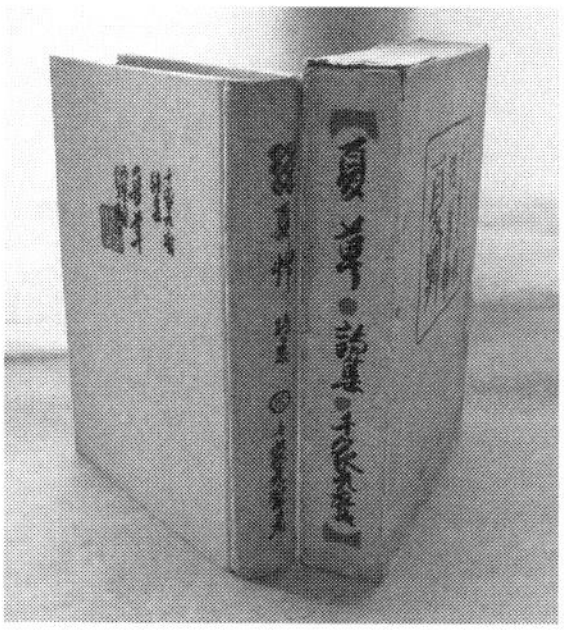

『夏草』（大正 15 年 7 月）

殊に、「眠りから　神覚め給ふ　春の曙」は、上田敏の訳で知られる、ブラウニングの「春の朝」を連想させる作品である。

時は春　朝は七時　片岡に露みちて　揚雲雀なのりいで　蝸牛枝に這ひ　神、空にしろしめす
すべて世は事もなし

『夏草』は四季別に編集された五六二頁もある詩集で、短詩の比率が高いわけではないが、右に上げた10作品など俳句として読んでも違和感がない。元麿の詩的世界は多分に俳句的といえるのかもしれない。先に紹介した白秋の淡々とした俳句の世界とも似ているようで違う。

武者小路の「千家に就て」を収めた、昭和26年刊行の「詩人全書」の一冊『千家元麿詩集』は、文庫判ながら二段組で二百八十余編を収める（岩波文庫『千家元麿詩集』は百三十余編）が、『真夏の星』（大正13）以来の一行から三行の短詩も数多く収めている。前記同様、（　）内がタイトルである。『夏草』収録以外のものをあげる。

渓に螢を放つた、神の工み（螢）
樹木に風の来るは我に友の来るが如し（風）
身は天に離れ共　わがあこがれは登りゆく（短句）

花を愛すは聖なり（花）
青空の下に生きるなり（青空）
蝶々はもう　ねてゐるのと　俺の子供が（蝶の眠）
海は魚の母である　鯨は海で御産をする（海）

「寂」感充溢の世界

元麿には『千家元麿俳句集』（昭和56・皆美社）がある。没後33年を記念して永見七郎、小松崎智など新しき村東京支部の人々の手でまとめられたものである。元麿の文学活動は俳句から始まるが、佐藤紅緑が主宰していた俳句誌『とくさ』に掲載された十五歳から二十歳の作品である。明治37年から42年にあたる。四九四句が収められているが、私の眼で二十句を選んで紹介する。

川狩の手に這上る手長海老
菊の塵絵皿に寒く匂ひけり
絵ハガキを透して見るや春の風
雷に炎吐き出す牡丹かな
萩筆や女は歌をやさしうす
落雁の腹白う見る芒かな
灯篭の紙の薄さよ闇の色

秋草や浅く埋めし涙壺
霙るゝや塔の宝鐸鳴りやまず
相人の眼鏡や割れむ冬の月
まろうどに鴛鴦の古さ語りけり
笹鳴や物語めく石井筒
歌よみのうしろ姿や春暮るゝ
富士の肩行者の尻に晴れにけり
柿の木にのぼれば見えん故郷かな
百合高く吾影細く身に戻る
よべの雨語り過ぐるや露草に
月島に訪ぬる友や凧の昼
雲の峰地球の外に並びけり
月の空雲あれまさる夏野哉
水底のやうな月夜や鴨の里

昔の事とは云え、成人前の青年にしてこの「寂」感充溢の世界がよくぞ描けたものと感嘆するばかりだ。

『千家元麿句集』の小松崎智の解説によれば、銀箭峰の俳号で『とくさ』に投句していたが、明治

『千家元麿句集』（昭和56年3月）

42年夏に同誌が廃刊されると共に、元麿の俳人時代は終わったと書いている。

ただ、昭和11年8月、丸山義二の文学案内社から刊行された『蒼海詩集』には、以下の三十句が収録されている。

星凄く怪異に光る冬夜かな（冬の夜1）
雪が積もつていよいよ崇高の峰だ（蜜柑の国）
蜜柑の国の子供ら蜜柑を道で食ひて居し（同）
人清く山に隠れて百合の花（同）
婦人室の椅子皆紅し薔薇の花（昔のわが家を思って）
蝶々や佳人をのせし軽き馬車（蝶）
雷は山の上ばかりで鳴らない、市の上でも鳴る（雷）
太陽はわがもの顔に宇宙を照らす（太陽）
卓の上の鼠の夜寒哉（夜寒）
菫ほどものを想はぬ女かな（菫）
写真屋の乾板を乾す蝶々かな（同）
雪と蝶と女が歩く好い日和（蝶）
海と本で独り暮らした冬の日
枯草や本よむところを探し歩く

冬の日や障子にうなる蝿の音
帆の上を白鷺とべり美しき
陽炎や海に吸はるるなめり川
春雨の日には家にて手内職
鳥の巣の鳥空になる好き日和（鳥の巣）
山も町もどこも雪なり美しき（すわにて）
夜寒の灯いとしき人を照らしゐる（同）
灯の美しさ雪の積もりけり（同）
燭つけて鼠を追ふや夜半の秋
春雨やもの皆遠く一人あり
陽炎や海のほとりの川は乾て
煤払きの煤流しけり隅田川
静かなる世界があり月夜になる
月夜になつて味はふ静かさ
しんみり話してる女の月夜
陽炎や崖くづれある海の傍
桃を植ゑよと教へし神のあるならん

耕の『詩人千家元麿』にも「千家は晩年俳句を作り、私も見せて貰った」と書いている。
事実、昭和22年4月に刊行された雑誌『東西』第二巻一号（東西社）に元麿は「句帳」の題のもと、一五五句を掲載している。「昨春大社へ帰りて」「不忍池畔」など連作形式のもので短期間に作った俳句を悉く発表した感じである。『東西』は貴司山治が京都で編集刊行していた雑誌で、『蒼海詩集』の発行元であった文学案内社の『文学案内』（昭和10～13）の流れを汲む左翼系の雑誌である。十句をあげてみよう。

白鷺や四つ手の雫蓮に落つ
睡蓮に来て光り増す蛍かな
凌霄の花揺れ蝶揺れ庭涼し
海猫に鳴かれて旅情つのるかな
白鷹も春風にあらく羽搏たかず
大空の鳶に春の来たりけり
蜻蛉を子が指さすや青田路
泳ぐ子ら登りつ飛びつ淵の岩
青薄切りて眼鏡をつくりけり
花芙蓉秋は千行の詩を吐かむ

『東西』右：創刊号（昭和21年4月）
左：第2巻1号（昭和22年4月）

元麿は、『東西』創刊号の巻頭に「今や吾等の慎重に考へる時だ」という四十行の詩を掲載している。昭和19年2月、元麿の長男はビルマで戦死している。右の詩は次の三行で締め括られている。

戦争は終わつた。今や吾等の為した事を考へ
これから為す可き平和の事業を慎重に重ねて考へ
国の内外の平和の為に皆用意しなければならない。

戦争によって国民すべてが傷つき、多くの悲しみを背負って戦後の苦しい現実に直面しているが、一方で戦争に一丸となって進んでしまった事実を直視し、人間として考えなおして再出発しなければならないという、立派な正論であるが、身近にいた耕治人の小説によれば、当時の元麿の生活は貧窮のどん底にあり、荒れに荒れていたようだ。「句帳」の「大社へ帰りて」も実は亡くなった妻の納骨に父の生地である本籍に戻ったのであるが、その事には全く触れていない。右に選んで引用した十句は元麿らしさが出ているけれども、五頁に書きなぐったような一五五句全体は異様である。当時の元麿は「詩神」と「汚れた天使」が一身に同居して自分では制御できない、現実の生活と作品とのずれに心が痛むようだ。

ただ、晩年まで俳句結社に関係することはなくとも、俳句はずっと元麿と共にあったのだろう。自由律的傾向を示した『蒼海詩集』収録俳句の製作年代は不明だが、『東西』収録句は、先に引用した『とくさ』時代と同じ作風と見なして良いようだ。

一般的に俳句では食えぬという実情もあった。ならば詩で家族を養っていけるかという問題だが、前記の詩人の団体・詩話会の創設などによって、文芸誌に詩を掲載すれば原稿料を期待できる時代にはなっていた。千家が詩を選んだ理由の一つではないだろうか。

俳句で養われた詩情を、自由詩の方に傾けた、その成果が一行から三行ほどの短い珠玉のような作品を生み出したように思える。

6 北園克衛──モダニズム詩人たちの俳句

北園克衛と『鹿火屋』

日本のモダニズム芸術を代表する詩人・北園克衛（きたぞのかつえ）（一九〇二～一九七八）は、『現代俳句大事典』（三省堂）にも立項されるなどその俳句も比較的知られている。その俳句についての俳人による評論としては、小澤實氏の「北園克衛、その俳句──句集『村』を中心に」（『現代詩手帖』二〇〇二年十一月号「生誕百年北園克衛再読」思潮社）がある。

北園の俳句は、没後二年目に、船木仁、藤富保男により『村』（昭和55・瓦蘭堂）としてまとめられた。新書判、本文和紙使用、一頁二句組みで一一六句収録。表裏の見返しに自筆の句が拓本風に配されている。藤富の「あとがき」によれば、安藤一郎、岩佐東一郎、岡崎清一郎、近藤東、笹沢美明、城左門、田中冬二、村野四郎らとの同人誌『風流陣』（昭和10年創刊）四十八号までに掲載された句と、残された句帖からの選句集と、いうことは他にもあるということだろうか。なお、『村』は『現代俳句集成　別巻一文人俳句集』（一九八三・河出書房新社）が全文収めているが、北園の写真や生地、伊勢市熊川町の写真などは省略されている。

小澤氏は『村』を読み、モダニズム的素材が見られず、リリカルな心情も表されていない本格的なもの。詩人の余技として片づけられるものではなく、近代俳句史を豊かにするものを含んでいると書いている。『現代俳句集成』の解説でも「詩人らしい自由奔放の俳句ではなく、古格を守り、穏和にして典雅、姿が美しい」とあり、小澤氏も同意を示している。

現代詩人の俳句が定型を守った作風が多いのは、これまで取り上げてきた詩人にも言えることである。実のところ、自由奔放な俳句があるのではという期待は見事に裏切られている。

小澤氏が魅かれた句は左記の句だ。（ ）は制作年。

瓢箪のくびれて下がる暑さかな（昭和10）
冬瓜と帽子置きあり庫裏の縁（昭和16〜19）
栗ほすや的皪として昼たけぬ（右同）

また最もユニークなものとして昭和16年11月の連作俳句「河童十題」を挙げている。

冬枯や沼辺に下る道細く
紙衣きて河童に酌をたのみけり
芋粥に嗤うるむ冬至かな
荒壁に嗤うつす榾火かな
蹼をかわかしてゐる寒さ哉

隻腕の河童にあひぬ冬の月
よべみたる河童ゆくなり冬木立
空風に小手かざしゆく河童かな
枯芒わけてよびけり河童子
水尾ひいて河童のかへる年の夜

北園は大正8年に中央大学に入学、10年からは麻布竜土町の原石鼎宅の離れに下宿し、石鼎主宰の『鹿火屋』に俳句ではなく詩を発表するが、関東大震災に遭遇し故郷に帰り、13年に再上京する。その間に北園の詩も象徴詩からダダ、シュールリアリズム詩へと大きな変化を遂げることになる。

北園の俳句を、『鹿火屋』や『風流陣』にかかわった他の俳人や詩人の俳句と比較しながら考えてみたい。幸い初期の資料が手元にある。俳句は発表していないが北園は『鹿火屋』の近くにいて詩を書き、『風流陣』同人たちとの句会で殆どの俳句を残した。その関係は重要だろうと思う。

北園が何故、石鼎の下宿人になったのかは不明だが、北園は石鼎の『鹿火屋』の大正11年8月四十二号の「無題」から、震災直前の大正12年8月号「死」まで頻繁に、本名の橋本健吉の名で詩を掲載している。震災の惨劇を予測したような不吉な詩「死」は左の如くだ。改行を／で示す。

かくて／永劫につきざる呪詛の亡霊は／焼たゞれし東雲の空を／灰色の髪をなびかせて／いづくともなく／歩み去る時／連日の直射に／痩せ細りたる野草は／冷えやらぬ血潮を／専念に吸うで

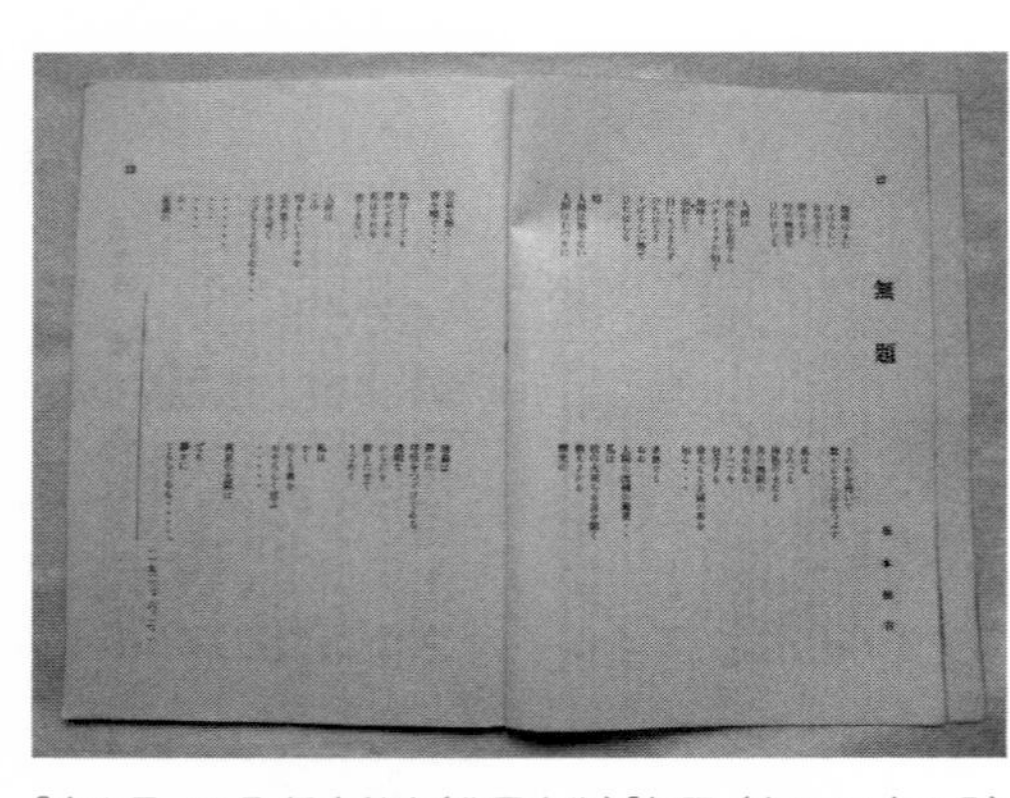

『鹿火屋』42号 橋本健吉（北園克衛）「無題」（大正11年8月）

はないか／未だうら寒い二月の末／この高原の踏切の轢死者／あけに染みし葉は／みぢやかれし一本の足を抱きて／朝あけの風に薄光りつゝ／ゆれ動く、／かくて／呪はれし亡霊と／呪はれし一群の草は／いたましき／生と死へ／背走するのである

大正12年4月号には「電柱」という詩を掲載しているが、同時に田中豫生、本井嘉一も詩を発表している。

本井の「私語」と題する抒情詩は、

三人きて／三人つどひぬ／仄暗き黄昏の窓辺／羞恥に／をとめ等は私語く／——恋人の瞳、／——恋人の唇、／——恋人の吐息…／三人きて／三人かへりぬ／仄暗き黄昏の窓辺。／ああ、ひと気なき室内に／咲きにほふ／白色／赤色、／黄色、なる欝金香（チューリップ）の花。

言葉の持つ力、イメージ喚起力の点で北園の詩が勝ると思うが、後のダダやシュールリアリズム詩を予測させるものはない。田中や本井の寄稿は北園との関係からだろうか。

当時の石鼎の句も見てみよう。前記12年8月号に「近詠」十八句が掲載されている。五句引用してみる。

蜘蛛の縞に朱の筋もえて蘆の中
うらがへる蛇のむくろや橋の上
とぐろ巻く蛇に来てゐし夕日かな
散らんとす葉蔭の蓮を人しらず
此家に青田曇りやさだめなき

鮮烈なイメージを喚起する作品である。震災前の詩人たちの心に萌していたであろう不安。北園の詩との近似性を感じる。

『鬣』同人・九里順子が北園克衛についての論考を、奉職する大学の紀要に発表している。

・「北園克衛の句観――『風流陣』を中心に」（二〇一四）
・「北園克衛における詩と俳句――詩集『鯤』の試み」（二〇一六）（以上、宮城学院女子大学「日本文学ノート」49、51号）
・「北園克衛の句作――犀星評価を視座として」（二〇一五・「キリスト教文化研究所年報」48号）。

主に北園や八十島稔、岡崎清一郎など『風流陣』同人たちの俳論を中心に考察したもので、緻密な研究に感心させられた。女史の考察を一言で説明するのは困難だが、敢えて示せば次のようなことであろうか。彼らにとって俳句（主に俳諧の語を使用）とは、「差異的な形式の生成と衰退の中でその形態を保持している様式であり、詩の祖型として措定し得るもの」で「前衛芸術の中心であるフランスから逆輸入した俳諧を、より先鋭な句観として展開」「日本の俳壇に対しては「感覚の新しさ」を相対化する「風流」を打ち出し、世界に向けては「HAIKAI」の本質的前衛性を打ち出そうした」ものであった。日野草城を中心とする新興俳句が無季や非定型を容認する姿勢を批判し、その句の姿は定型を遵守し、一見古風だが「最小の詩的単位」としての俳句は、前衛詩人である彼らにとって一様に「精神とスタイルのトレイニング」のための「エクサイズ」であった。

一方で北園が「俳句を「詩」の最小単位として自己完結的に規定したのに対し、岡崎は非完結性に本質を見出していた」と同人間の違いも捉えている。この辺の考察に加え、北園は、自由律の荻原井泉水における助詞「の」の用法を取り入れているといった視点は、他の研究者にはない九里独自の見解と言えよう。

俳論の違いはある意味分かり易いが、実作からその違いを感じ取るのは容易ではない。句会を中心とした彼らの俳句には、やはり『風流陣』としての一つのムーブメントが感じられる。また八十島稔や岡崎が生前に複数の句集を刊行したのに対し、北園は没後に初めて編まれた点にも、俳句に対する態度の違いを感じる。以下、『風流陣』同人たちの俳句作品を列挙してみることにする。

『風流陣』の俳句

八十島稔（明治39〜昭和58）には以下の五冊の句集がある。『秋天』『柘榴』（以上風流陣発行所）、『筑紫歳時記』（青園荘）、『炎日』（鶯書房）、『牡丹照る』（青芝俳句会）。左記は『風流陣』第一冊（昭和10）

収録句。

おのがみに幻住一如花散れり
艶しさのやりどころかな人形師
かりそめの恋うたかたや秋海棠
動きけり蝶も花粉の暈るまで

岩佐東一郎（明治38～昭和49）には句集『晝花火』（風流陣発行所）がある。左も『風流陣』第一冊掲載句。

はつ秋のあめ洋傘をひかりうつ
雨雲のきれまに亡母の瞳を見たり
ふと吾の姿消ぬがにあめの街
黄昏るるあめを眺めて思ふ人
雨空へ網とひろがる伝書鳩

岡崎清一郎（明治33～昭和61）には、『白晝幻術』（昭和13）、『花鳥品隲』（昭和13・文芸汎論社）の他、『岡崎清一郎句集』（平成元・沖積舎）がある。左は『花鳥品隲』巻頭の五句。

春の日の頻りにふいてるほこり風
少年は白紙やぶきぬ楡若葉
笛ふけどもう音しない麦の茎

萠えあがるものばかりなり春の山
花のさいた大地続けり暗き方

安藤一郎（明治40〜昭和47）には、『雪解』（風流陣発行所）、『安藤一郎句集』（昭和53）がある。左は『定本安藤一郎全詩集』（平成3）より、『雪解』収録の巻頭五句。

つばくろや雪解け川の一光り
雪折れの枝あるままに桃咲けり
永き日を流れのうへのうつぎ花
暗き夜の田舎祭りや春雷す
昨日今日青める樹々の山近し

以下、句集については省いて詩人ごとに『風流陣』掲載句をあげる。カッコ内は各人の生没年と『風流陣』号数と発行年。

竹中郁（明治37〜昭和57）（54冊・昭和16）

時計師の俯向勝や秋冷ゆる
おのおのの家に灯のある夕秋野
秋冷の公衆電話うつろにて
朝顔やつたひ歩きの子の身丈

金網のあられの音や水禽舎

笹沢美明（明治31〜昭和59）（右同）

霧立つや茎冷え冷々と花圃一畝
馬迅く門過ぎ牆の萩は垂る
秋の蚊や五燭の電球の暮るる刻
薄闇の湧き来る庭の花紫苑
あすふあると坦々として秋の蝶

城左門（明治37〜昭和51）（56冊・昭和17）

風強く日暮れる冬の迷ひ犬
冬日さす小庭の隅の犬の糞
日だまりに小さきものの命かな

なお、北園の『風流陣』第一冊掲載句は一句のみ。

ひとめぐりしてまた打つや女郎花

北園克衛唯一の句集『村』（昭和55・瓦蘭堂）から、気になる句十七句を抽出してみる。

暑さかな朝顔なども這ひまわれ
佩刀の反りのゆくへや梅の影
朝顔のちぎれながらに咲きにけり
君が香に菜の花まじる良夜かな
葛飾やびんぼう川のねむの花
女ひとり菊を見てゐる河岸の家
葛飾や芋植ゑる野の大傾斜
天の川僧坊くらく眠りける
白塗りの船の行方や鰯雲
山茶花のこぼれて広き庭の隅
横笛にわれは墨する後の月
いちはつの朝にしはぶく老師かな
庭箒さゝくれたつや年の暮
袷着て菊に向ふや朝の雨
寒日やすこしぬれたる縁の端
五月雨や径ほそぼそと町に入る
このあたり夢のやうなり風蝶花

北園は、『郷土詩論』（一九四四・昭森社）に収められた「俳句」で次のように書いている。

自分は俳句に柵や矢来をもうけて苦しむよりは伝統の上に気楽に寝そべって、あるいは坐って眼に映るものと心に浮かぶものとの交感に耳をすましていたいのである。そこでは新旧巧拙無く、ただ即心流露するものを待つばかりである。（略）

日本人として誰もが持っている程度の常識の上に立って気随気儘に十七文字が醸し出すポエジイを愉しむというのが自分の句道であるということが出来るであろう。（『現代俳句集成』別巻一より）

また、『風流陣』51号の「俳句近感」では、

何とはなしに潤いのあるたとえば葛のようなまたあるいは笛のような性格を持った俳句に憧れている。（『現代俳句集成』別巻一より）

と書いている。

戦後刊行された北園の詩論集『黄色い楕円』（昭和29・宝文館）収録の「詩と俳句」（一九四七）は、第二芸術論を踏まえての評論というよりはエッセイで、『風流陣』でともに俳句を作った仲間、城左門の次の言葉を紹介しながら、それは「とりも直さずわれわれ詩人の共通の感想である」と書いている。

僕はこの頃俳句を作らなくなつた。その理由はこれまで自分はいつも持ち合わせの感覚で句を作つてきたが、一通りそういう手持ちの駒を使いつくしてしまつて、これからはいよいよ本腰で俳句ととつくまなければならなくなつた。これは容易な業ではない。それはとりもなおさず、俳人となることである。だがそういう努力をするくらいなら、僕は詩人として詩の上でそれをやるのがあたりまえだからね

また、次のようにも言う。

俳句をしかつめらしく考えないで小川が池にそそぐように俳句のなかにはいつていく、またはいつていけるところに俳句の良さと、親しみをわれわれは感じるのであつて、それ以上のものを俳句に望まず、また望まなくともすませるというところが好もしかつたのである。自分はかつて、「自分は精神のトレイニングとして句作する」というようなことを言い、また書いたことがあるが、これは単なるアポロジイではなかつたつもりである。われわれは常に新しいジャンルで詩を書こうとしているスクウルに属しているが、俳句はすでに存在せしめられたジャンルであり、そうした固定したジャンルを以てアクティヴィティを形成するということは全く逆の意味において一つの修練に値する場合があるからである。

北園の「曲線的なアルゴ」（『ガラスの白髭』収録・一九五六）の1、2聯（／は改行）は、次のような詩だ。

円筒のなか／のガラス／を廻す風の／ポマアド

海／の上／の白いピアノ／の火災／紫の髭／のある日曜日／または／砂／の鞭／の影

北園は、抒情詩、象徴詩、ダダ、シュールレアリズムと詩的実験をくり返し、表面的な「ことば」の意味を排除した所にポエジーの確立を目指した。しかし前衛の前提は歴史的に築かれてきた伝統の存在にある。北園たち『風流陣』の詩人たちにとって「俳句」は当然リスペクトされるべき文学であった。先に紹介した九里の指摘のように、北園にとって「俳句」は定型と季語など制約の上に既に確立された「詩の最小単位」であった。しかし、それは「エクササイズ」であって、本格的に目指す対象とはならなかった。

私自身で俳句を作り始めて感じ出したことは、作り続ける行為こそが俳句で、おそらく完成とか到達はない。その意味で前記の城左門の言葉はよく分かる。要は俳句を選ぶか捨てるかで、北園は早期にその捨てる方の決断をしたのだろう。逆に八十島稔や安藤一郎は生涯俳句を捨てなかったと言えるのかも知れない。

7　日夏耿之介——社交の俳句

濃厚な詩語

私の日本詩の好みは、犀星・白秋の叙情小曲と、ある意味真逆にも見える吉田一穂と日夏耿之介(ひなつこうのすけ)の硬質な詩情にある。一穂と耿之介の詩を好むと言いながら、実はそれほど読んでいない。数編読むとそれだけで心中満たされてしまい、後が続かない。練り上げられた詩語が余りに濃厚なのだ。また一穂と耿之介は、その風貌も（会津八一も含めたい）今の日本人には見られなくなった、簡単には人を寄せ付けない威厳に満ちている。ただ、その二人の詩は異質でもある。余り読まれてはいないであろう耿之介詩の中の一篇を紹介することから始めたい。

昭和27年に刊行された創元選書『日夏耿之介全詩集』の巻頭「創元選書板詩集敍」で、耿之介は次のように書いている。

> 世上の取沙汰に反し、わたくしの詩は在来とも文学青年者流の間には少なく、却而ひろく各方面各生業の少数読書子の間に読まれ来つた事実が、やうやく近年に至つて具体的に作者の目の前に判明した。（略）

第一巻呪文は、昭和八年陸前小山田氏限定本に拠つた。著者としては最輓近の作業である。（略）黒衣聖母に芽生え黄眠帖に成長したわたくしのいはゆるゴシック・ロマン詩体が、順当に錬金術叙情詩風として展開したのが呪文詩集であった。

『日夏耿之介全詩集』はB6判、二四二頁、二段組の一冊本だが、第一巻呪文、第二巻黄眠帖、第三巻黒衣聖母、第四巻轉身の頌、第五巻拾遺篇という章立。因みに俳句作品の収録は無い。一冊の本の中に巻数が入るのは和本によくある例だが、洋装本では珍しい。ともかくも自らその詩業をゴシック・ロマンから錬金術叙情詩への発展と捉えているのだ。

「錬金術叙情詩」とは言い得て妙であると思うが、先に取り上げた鷲巣繁男の詩も如何にも「錬金術的」であったが、耿之介の詩は、鷲巣の詩ほどには難解ではないと、私は思う。素直にその詩情に酔えばよく、それを拒まない。

『呪文』から十聯五十四行の「塵」の後半を引用する。

はた變易なき、現世浦安の婉美しき風光なればにや
ここ小胸やすらひつ　いと切に
限りなき宇宙の脈搏に服せむと欲りす也
あはれ　寂び募る死の森の外ケ濱邊に

深雪降り　颪すさび
破れはてし外套の襟たてて
靴ふかぶかと　己が吐息を感じ
塵かのごとく灰白に降りしきる
時劫の粉雪に埋もれ仆れつ
はた春咲く花の幻景に小をどりして
小川を渉り、氷踏みしだき
冷えゆく手足の痲痺をほかに
こともなく　口笛高く吹き奏しつ　いとさわやかに
かの孤家の小ぐらき灯かげ慕ひ寄り
性命を一歩に打量る業運なる

あはれ　妖しく寂びたつ森林の
氷雨ふる思想にあふるる
静寂の小夜の柴扉に偲びよる現身也

「變易」を「かはり」、「業運」を「さだめ」、「静寂」を「じょうじゃく」とルビが付く。この詩には少ないが、漢語に特殊な読み方を当てルビをつけるのが耿之介詩の特徴ともいえる。朗誦されることを念頭に練り込まれた詩ではあるが、私には視覚的効果を主にしているように思える。この点、かなり異論はあると思うが、ルビを気にせず漢語で読んでも、大きくその詩情を読み違えることはないと私は思う。それは耿之介の俳句を考える上でもキーポイントとなるはずである。

日夏耿之介の俳句

さて、耿之介の俳句は、昭和12年・野田書房刊行のコルボオ叢書『溝五位句槁』、昭和18年・中央公論社刊行『日夏耿之介選集』、昭和19年・昭森社刊行『婆羅門俳諧』に収められている。

村山古郷著『俳句もわが文学』（昭和47・永田書房）の耿之介評の中で「耿之介が俳句を始めたのは、大正末から昭和にかけての頃ではないかと推察される。当時耿之介を取り巻く若い詩人の群れの中に内藤吐天が加わっており、その影響に依る所が多かったのではないかと思うのである」と書いているが、その作風は詩と同様に象徴的であり、叙景の点で弱く、内藤吐天の俳風は帯びていない、類例の少ない独特の俳句であるとしている。因みに、『現代俳句大事典』（三省堂）の吐天の項の解説では、「格調高い作風で知られたが、晩年は融通無碍の作風に転じた」とある。

日夏は、昭和14年に「俳諧自我註」という文章を書いている。そこで取り上げているのは左の五句である。

春立ち旗雲光ると雖神経霞み黄昏るる

くけ沼の大き古廟の坡に草立す
春の風蟹と游べば蟹悉く笑みまけつ
沙地の上泡立つ朝かげ小乱れけり
松を立てず門に倚りて病脳の芽を測る

最後の句に注して「これを測るは松林の木の芽にや病脳の芽なんどといふものにや、作者にも判らず、評家之を定めたまへ」と書いている。煙に巻かれそうだが、耿之介の俳句観は、自句解釈よりも、芭蕉や荷風作品評に良く出ている。

日夏は「旅と詩と俳句と」(『日夏耿之介選集』収録)という一文で、子規が芭蕉の「五月雨をあつめて早し最上川」と蕪村の「五月雨ヤ大河ヲ前ニ家二軒」を比較し、芭蕉の「アツメテ」の語を「タクミガアツテ甚ダ面白クナイ」のに比べ蕪村の句は「遥カニ進歩シテ居ル」と評した(『仰臥漫録』)その言葉を退け、

「あつめて」といふ言葉は「動」の景色を表すために是非必要な言葉であつて「あつめて」の一語によつて現れる早さの感じ、並びに所々方々の枝川や雨滴などを悉く収めて満々と流れる早くして而も悠揚たる趣は、この言葉を俟つて甫めて良く表現せられたと言つて宜しい。

と高評している。芭蕉の「動」に対し、蕪村句を「静」と見ている。また、蕪村の「飛蟻とぶや富士

の裾野の小家より」を、子規は駄句としているのに対し、「是の妙味は（略）飛蟻といふ動物そのものがこの場合、富士の裾野の一帯の土地と不思議にも結び付いて居るところから、動的な、聯想の豊かな、奈何にも空飛ぶものの背に跨つて飛行して行くやうな、透明な感覚を与へる」と高く推奨している。

日夏は、右のような江戸俳諧に対すると同様に、尾崎紅葉、夏目漱石、森鷗外、永井荷風の俳句を個々に評した文章を残しているが、作家の一般的イメージに囚われず、詠まれた状況、目的などを良く加味して鑑賞することをすすめている。

現在高く評価されることの多い漱石俳句に対しても厳しい目を以て対し、「（明治）四十年以後歿年迄には齢が加はつて見る目が冴え心境も坐つて来たから、作句の数は少いが出来栄えは急によくなつてゐる」とし、殊に「人が死んだり犬猫が死んだりした句になるとその人その犬猫への真情衷情が、句情句姿を平生より一段と引き締めて」いると、『吾輩は猫である』の猫を悼んだ、

此の下に稲妻起る宵あらん

を、漱石俳句中の圧巻としている。「猫の句は作ユキ本より豪宕にして、内に凄絶な哀感を仄かに含み、それを客観的に一抹し去つ」ていると書き、巧みな作ではなく、その時の作者の立場から無造作に生まれた佳句としているのだ。

『荷風文学』（昭和25）の著もある日夏が推す荷風句は、

紫陽花や身を持ちくづす庵の主

「実際に身を持ちくづした如くにしてくづしてはゐない此作者が、世間をも我をも偽つた形にして、身を持ちくづすと敢て言はねばならぬところに、この句が産れなければならぬ秘密があつた。その秘密は、一に紫陽花やの五文字に懸つて存する」と評している。また、歌舞伎役者市川左団次の煙草入れに書いた「春の船名所ゆびさすきせる哉」も、他の者が詠めば陳套な句も、この作者が「わざと陳套に身を委ねてその間の安易と和平とを冀ひ悦び、そのうちから自然に燃え上る地道な古色の美」であるとしている。

尾崎紅葉句に目立つ字余り句、「稲妻や二尺三寸そりやこそ抜いた」「松下童子に問は桑の実を喰て去る」などへの評価も、破調は「滑稽に堕しやすい」が「紅葉は破調の滑稽にも新味を帯びしめ、破調の真面目な句風にも明治の新趣を帯びしめ」たと、紅葉らしさを評価している。

日夏は、使う言葉に厳格性を求めるとともに、技巧ではない、その人らしさの出た句を是としているようだ。自然に俳句の挨拶性を重視しているようにも見える。それは日夏の句集『婆羅門俳諧』(昭和19・昭森社)に収録された一二一句のうち三十数句が追悼句や華燭、出産祝いの句で占められているのでも明らかだ。前書きの付く句が多いのも特徴で、その内より数句をあげる。

俳誌草上第百紀念号ニ賀ヲ乞ハレ

草の上に夢はらむらし唐鶏（カラシトド）
　工匠城所氏女児照子産賀
城草青み陽は照りはつ花咲き侍る
　吐天子婚賀
わか草の妻とこもるか萬春楽（バンスラク）
　象徴派古意
みそらよりもみ寺よりも美し凌霄花
蝉なくや諳厄利亜（イギリス）牡丹ゆるるほど
　高森子ヨリ椎タケ来ル
椎たけの化けて出るらむ夜ごころかな
　鈴木信太郎君鰊ヲ餽ル（おくる）
北海の羅漢と談ず夜涼かな
　根本彦一ヲ悼ム
菊ほそく月昏き夜の間のあかれかな
　今茲三十八歳所感（昭和三年）
形影相弔ふこと三十八年あらおもしろの浮世哉
　秋艸道人ヲ訪ハズ
毛中書訪ひかねつちまたに塵をきく

『婆羅門誹諧』（昭和 19 年 3 月）

弔鏡花日彩居士（著者注・幽幻院鏡花日彩居士は佐藤春夫作）

桔梗枯れし宵山山ともし村雨けり

山口剛追悼句

聾阿弥仏も鶴（カク）に召されていでましけむ

台北猫寺居職西川満ニ付フ

猫てらや雲間にかすむろくろ首

黄昏くるしく聖龕に禮す詩人あり

日夏の俳句は、時と所と人に応じ、様々な語彙を駆使し、表現法を変えながら、自由自在に詠まれ、自ら楽しんでいるようである。

8　ゆりはじめ――横浜大空襲を問い続ける疎開派

疎開と空襲

ゆりはじめ（一九三二年生まれ）は、肩書に「詩人」とは記さず、「文芸評論家」を用いているが、戦後の高校生時代の俳句、それに続く現代詩の創作から文学活動を開始している。一九六三年、安保闘争の最中の結核療養中に、宮原昭夫らと雑誌『疎開派』を創刊。その名乗りは、戦争中の「疎開」という体験を思想的、文学的に相対化しない限り、戦後世界に明確な視点を持つことは不可能だという認識に基づいていた。以後、今日までゆりの文学活動は、疎開体験と、父を目の前で失う横浜での空襲の意味を問い続けることに注がれて来たと言えるだろう。

文学的創作ばかりでなく、多くの創造的な仕事は、何らかの形で自らの幼青年期を振り返るようにして行われる。その経験が強烈であるほど、創作に深い影響を示すことになる。ゆりは、処女評論集『白夜と明証――現代思想家論』（昭和46・深夜叢書社）の巻頭に序詩「白夜と明証」を置いている。（以下／は改行）

高く／深く冴えた青空に／きみの憎悪にぬれた　殺意を／投げあげよ／霧色にふくれた貌に／鋭

角の風がふれようとも／君の孤独の弦は／静かにふるえ／君の子宮への夢は／薄明の空に浮かぶ
（以下略）

この詩は、平成3年に刊行された『ゆりはじめ詩集』（近文社）に「投げあげろ…」と改題されて収録されている。同詩集の巻頭は「くらげの歌」で、これは、ゆりが最も愛着を持つエッセイ集『あしたの雪』（一九八九・虔十社）の裏表紙にも印刷されている。

おれの核心はあまりに固く／電流する性相／おれの触手はあまりに軟らかく／存在をつきぬける／むねふかく飲んだ毒潮の／晴れる間もない痛み／疼痛　激越な疼痛／ああ／鈍感な斧で断ち切られた／おれの予後の生の痛み
かもめ／壮大な建築が波の上に築かれる／日もあるさ
どれ波の上では月が昇ったらしい／ひょうひょうと身を翻えして／俺には俺の細胞分裂を始めようか（一九五四・二）

同詩集の序詩「私の中の永遠について」は、二行九聯の作品で、

けむつた霧雨のなか／電車はいろいろな匂いの町をよぎる
そこ　しずかな水辺で／私は永遠の糸をたれ

さらりと魚が光ると／それは私の幼い日の殺戮のイメジ
きみは本当に信じるかね／人が死ねばそれで全てが終わりだと言う事を（以下略）（一九五七・十一）

『キヤッツアイ』と成田猫眼

『ゆりはじめ詩集』は、『夜行列車』（昭和32）と『目といのちを』（昭和37）からの自選詩集である。『白夜と明証』で取り上げた思想家十二人の中に、ゆりの詩作に影響を与えたと思われる谷川雁、吉本隆明、鮎川信夫の三人の詩人がいる。その吉本隆明論の巻頭に、吉本の『初期ノート』「過去についての自注」から、「すべての「個」にとって、黄金時代が少年期から青年期の初葉にあるように、わたしの黄金時代は、戦争と、それを前後にはさんだ僅かの時期にあった。しかし戦争の終結は、強引にこの黄金時代に亀裂をつくったということができる――」という一節を引用、「いったい他の知識人のいかなるものが、青春が戦争と同義の黄金時代であったかを証言しているだろうか。この証言には少なくとも自己の精神についての実存を深めてゆこうとする、強い魂の契約がある」と書いている。戦争という体験を忘れることで戦後的出発を果たそうとする態度を拒否する、ゆりの体験した事実を思想化しようとする姿勢を、著書の象徴として掲げた右の詩のなかに見ることが出来るように思う。

それらの詩を生み出す前段に、ゆりの青年期の俳句があったのである。ゆりは、高校時代の俳句作品を一九七六年に至り、限定百部の私家版『キヤッツアイ』（疎開派社）にまとめている。「あとがき」に次のように書いている。

キャッツアイとは「猫眼」（びょうがん）の直訳のつもりである。『猫眼』は昭和二十三、四年からおおよそ五年間、横浜市立商業高校のメンバーを中心に組織された俳句結社であった。『猫眼』を語るときに欠かすことの出来ない人物に成田果成がいる。大学を終えたばかりの彼は情熱的に俳句の素晴らしさについて語り、俳句の口語化と連諧の復活を説いて飽きなかった。芭蕉や蕪村の七部集を克明に講義された高校生も少なかったであろう。

別の所で、ゆりは成田を加藤楸邨の弟子と書いている。当時の『寒雷』を調べても成田果成の句は見当たらなかったが、昭和25年6・7月合併号に一句だけ、横浜・成田猫眼の名で「紺青に並木の芽生え縦に見る」を見つけた。口語俳句を志向していたということであるし、『寒雷』での関係ではなく、国文学上の子弟関係かもしれない。しかし、注目すべきは俳壇等での活躍は無くても、優れた指導者がいたということである。

以下ゆりの当時の作品を紹介するが、現代の句と見ても違和感はない。ただ、右に書いてきたような戦争体験や時代状況を考えて読むとき、違う景色が見えてくる。同句集は四季に分けられている。まず「なつ」までを挙げる。

木の花よそこで水母は白光する
鳶の笛光の願いを聞きましょう

銀杏芽ぶく透き通るものになりそうに
葉桜に何か叫びたい坂続く
木の花よ逝くとき輝かなくてはね
春嵐葬送見えない弱いものたちの
白い春愁が見えていた四十四番目の銀杏
父亡くした少年期終る栗の花
梅雨馳けることも無かった日のピリオド
常盤木の落葉の死色にまぶされる
黒穂麦友人より弥撒を受けて在る
戦ありき青嵐樹を撃つ墓参かな
夏日垂直どっと河埋める銅の背
歓喜して精霊海に出る光
灼熱の偏差アルチュール・ランボウは男でござる
夏の雲光無い火を焚く恐怖
地が灼ける黒揚羽ひそと安息死
受難曲ひびいて炎天揺れはじめる
聖女見た梅雨の河底鳴る夜のこと

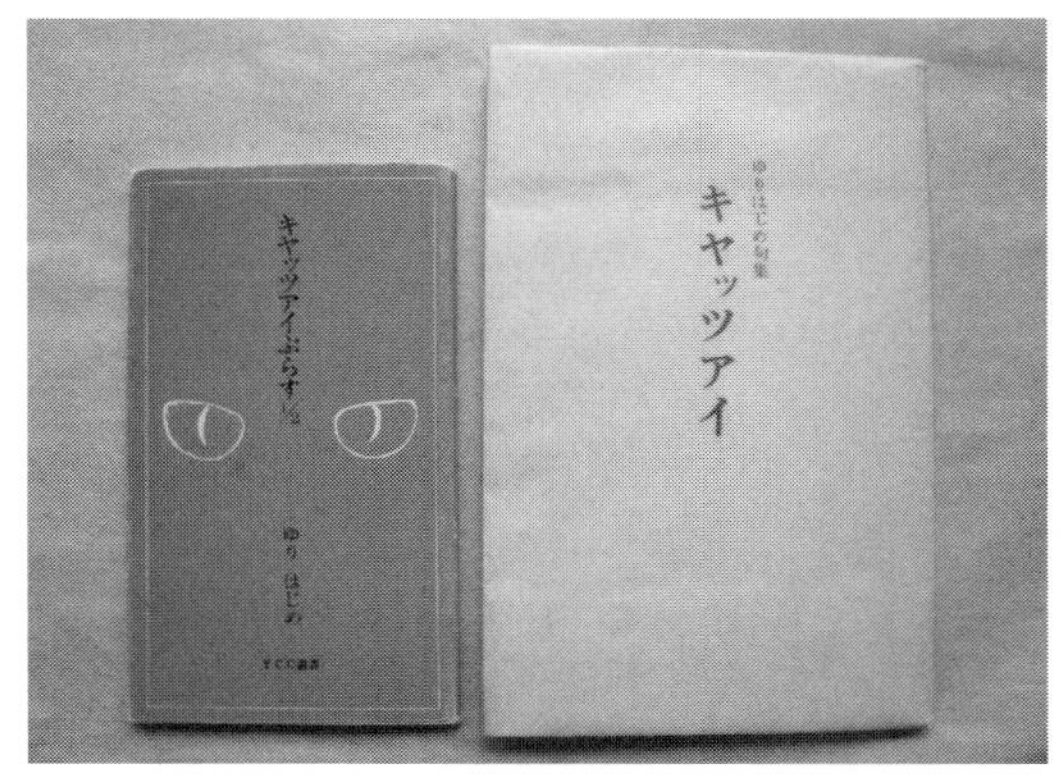

『キヤッツアイ』（1976 年 6 月）
『キヤッツアイぷらす 1/2』（1987 年 12 月）

後半の「秋」「冬」の句を挙げる。三十四句しかないので全句を紹介する。

Ⅲ（あき）

紺少女脳裏に霧を灼きつけた
月天心ビルの何処かが病気です
錆釘のそこから糸引く小蓑虫
雑沓のひたと絶えゆきぬ秋日中
紅葉を通った陽が私に当る
花野に迷い美しくおなりなさい
霜天に人間以下を窘められる
帰燕いま翳りなき野にかかりたり
永劫に霧の思索は凝固しない
もう秋かあの並木にはランボウの血痕
鵙鳴かずに注視を集めた明るい陽だ
秋千草海さんざめき灯を点す
敬虔な祈りの木の実雨でした
秋巇天のグラインダーに摩滅する
生涯のシルエットよ硝子玉は秋

IV（ふゆ）

冬鷗の善意に満ちた眼とふれあう
冬雲の層心確かな水車
雪虫捨てに暗い心で透く森へ
冬蜘蛛が障子の夜の裏へ死にに
茫漠と鶏殺してる大晦日
焦る焦る猫に注視され通しの枯葎
野火を来て少年等ふと歔めき
野火越えて来しが語らずいたりけり
夜光る刈田だ寒くなりそうだ
冬海の臍を見て来たうす靄よ
百八つ鳴り終りたり雨の中
寒ひりひり化石でも天使でも音叉でもない
寒夕焼水母は明日があるものを
黒霜を蹴って危険なナビゲイションです
月照るや外人墓地の雪の錆
冬愁いとはならずに青い死藻です

雲母の砕けるほどの寒月の青さ続く
童謡が歌い足らない凍死する
合唱が水車の円に凍っている

ゆりは、「あとがき」の最後に次のように書いている。

戦前の美しかった港の町横浜は戦争のさなかに空からの攻撃によって灰燼に帰した。そして戦後は進駐軍が他のどの町より多く長く支配した。

そのような横浜の町を眼の隅に入れて意識しながら青春期を送った私が自らの青春をわずかに定着した句がここにある。

「気圏の中で殆ど酔ったように句作に熱中」とも書いている。掲出した句から感じるのは、独自の作風を確立する前のゆらぎである。実験的な自由律の句に魅力的な作品が多いし、自ら言うように熱気というか青年らしい客気に満ちている。青春俳句といえるだろう。
『キヤッアイ』からほぼ10年後、『キヤッツアイぷらす1／2』（一九八七・Y・C・C出版部）を刊行、前句集刊行後に「俳句四季」に掲載した作品十八句を増補した。二分の一とは、俳句への熱意が半分という自嘲だ。

玲瓏と月照ればなお春の檻
藤壺やうべなう闇の深さかな
鷹ねむる野に放けば野に消えゆかむ
砲火吐きし記憶にふるえ禽ねむる
月欠けて朔太郎なる猫の恋

青年の客気は消えて静かな詩情でまとめられている。ゆりの第一作品集『修身「優」』（一九七三・第三文明社）に収められた作品に「笑いについて」という短編があるが、自身愛着が深いのであろう、この作品のみで一冊の和綴じ豆本にしている（電脳出版リヴァームーンJ社）。

業火に焼き払われたあとの熱気が大地を去るとそれは急速に冷えていった。私と姉とはその物体が冷える時間を黙って向いあったまま過ごした。あるいはこのときの心理は猟師に討たれた親四足獣が息絶えるのを呆然と見守る、子四足獣の空爆たる心情を似せてはいなかったたか。

生涯ゆりの記憶から消えることのない凄惨な事実だが、詩的な作品にまで高めている。何度も何度も様々な形で描いてきたことの完成形なのだろう。俳句では言い切れないことが、散文詩でなら自分の気持ちに近づけるということか。

ゆりは、勤務していた湘南工科大学の研究紀要に「現代俳句の可能性」（一九九七）を書いている。時代を共有した友との運座に俳諧の現代的な意義を見いだしたようだ。師・成田果成の教えでもある。どんな表現者でも最善の形式を二通り得ることは無理であろう。でも一方で詠う自由は許される。ゆりにとっての俳諧は可能性というよりは希望、詠う喜びを叶えるものなのではないのかと思う。

付録・荻原井泉水著作目録抄

家蔵本を基本に目録化したものなので著作目録抄とした。句集・年刊パンフレット・合同句集・全集・俳論俳句入門書・芭蕉一茶子規関係・尾崎放哉種田山頭火関係・随筆集その他分類して掲載する。「▼」は未所持本で、神奈川近代文学館・国立国会図書館蔵本データ及び、小山貴子著『自由律俳句誌『層雲』百年に関する史的研究』（平成25・私家版）等を参考にしたものである。

●句集

井泉句集　第一巻　四六変形　221頁　定価2円　層雲社　大正9年10月
　後に「湧きいづるもの」と追題。

流転しつつ　荻原井泉水俳句集　四六判　箱　284頁　定価1円80銭　聚英閣　大正13年2月

井泉水句集　第二巻　四六判変形　箱　284頁　定価2円　層雲社　大正13年3月

井泉水句集　第三巻　四六判変形　箱　447頁　定価2円　層雲社　大正3年12月
　特製本　3円あり。

俳句集偕懺悔　四六判　箱　447頁　定価2円　春秋社　昭和3年12月

井泉水句集　改造文庫　第二部第九十篇　518頁　定価50銭　改造社　昭和4年8月
梵行品　四六判　箱　312頁　定価1円80銭　改造社　昭和7年6月
井泉水句集　流転しつつ　四六判　279頁（聚英閣版再版）1円50銭　荻原星文館　昭和9年4月
井泉水句集　第五巻　無所住　四六判　363頁　定価3円　層雲社　昭和10年10月
句集無所住　四六判　箱　362頁　定価1円80銭　三笠書房　昭和10年11月
井泉水句集　新潮文庫　第二一四編　290頁　定価40銭　新潮社　昭和11年11月（14年10月十三版）
　ひぐらし集・まつの葉集・ゆけむり集・あをうみ集・雪の日集・山ぎり集で構成
新選井泉水句集　新潮文庫　第四九一編　318頁　定価63銭　新潮社　昭和18年12月
　三日月集・松ぜみ集・椰子の葉集・すげ笠集・春の日集・しら菊集・青ぞら集で構成
海潮音　井泉水句集　四六判　カバー　292頁　定価2円80銭　一條書房　昭和18年4月
一不二　四六判　カバー　222頁　定価2円40銭　櫻井書店　昭和18年8月（昭和21年10月再版）定価
　15円はフランス装
千里行　B6判　266頁　定価20円　光文社　昭和21年7月
自選句集金砂子　B6判　151頁　定価15円　目黒書店　昭和21年7月
原泉▼井泉水先生喜寿祝賀会　319頁　層雲社　昭和35年6月
長流▼井泉水先生半寿祝賀会　313頁　昭和39年1月
大江　A5変形　箱　289頁　定価2500円　弥生書房　昭和46年8月
四海　A5変形　箱　227頁　定価2500円　文化評論出版　昭和51年12月

●井泉水句集年刊パンフレット

つきのわ集　俳句習作二十六篇　菊判　32頁　定価30銭　層雲社　大正15年5月
大正14年の作品を収める。以降、年刊で『みずおと集』（昭和元年の作）、『ゆうぐも集』（昭和2年の作）、『しひのは集』（昭和3年の作）、『ひぐらし集』（昭和4年の作）、『まつのは集』（昭和5年の作）、『ゆけむり集』（昭和6年の作）（各20銭・層雲社）以下不明

●合同句集

自然の扉　層雲第一句集　四六判　323頁　定価70銭　東雲堂書店　大正3年8月
風景心経　層雲第四句集　四六判　カバー　347頁　定価1円80銭　層雲社　大正11年7月
層雲第十六句集　四六判　箱　カバー　146頁　非売品　層雲社　昭和17年12月
自由律俳句集（本来は『層雲第二十二集』）　B6判　158頁　層雲社　昭和33年4月
小山貴子『自由律俳句誌「層雲」百年に関する史的研究』（平成25・私家版）によれば、層雲句集は、第二『生命の木』（大正8年12月）、第三『光明三昧』（大正9年1月）、五集『泉を掘る』（大正14年2月）、第六『劫火の後』（昭和2年6月）、第七『短律時代』（昭和4年12月）、第八『昭和の曲』（昭和6年12月）、第九『一人一境』（昭和8年12月）、第十『第十の牛』（昭和10年12月）、昭和12年2月の『層雲第十一句集』以降は昭和51年3月刊行の『層雲四十句集』まで刊行されている。
紅梅白梅集　B6判　126頁　限定150部　定価200円　大泉園　昭和37年4月

遠山近水集▼　B6判　112頁　限定150部　定価200円　大泉園　昭和38年4月
日光月光集▼　B6判　116頁　限定150部　定価300円　大泉園　昭和38年4月
一草一木集▼　B6判　152頁　定価200円　大泉園　昭和39年4月

●全集

現代日本文学全集38巻　現代短歌集・現代俳句集　菊判　箱　543頁　改造社　昭和4年9月
俳句文学全集　荻原井泉水篇　四六判　箱　437頁　予約価1円50銭　第一書房　昭和13年6月
俳句三代集　別巻　自由律俳句集　中塚一碧楼共編　四六判　箱　437頁　定価2円　改造社　昭和15年4月
現代文学大系69　現代俳句　「井泉句集二」抄　B6判　箱　506頁　定価480円　昭和43年7月
日本の詩歌19　飯田蛇笏・水原秋桜子・山口誓子・中村草田男・荻原井泉水　B6判　398頁　定価480円　中央公論社　昭和44年8月
現代日本文学大系95　現代俳句　「大江」抄　菊判　箱　525頁　定価920円　筑摩書房　昭和48年9月
鑑賞現代俳句全集　第三巻　「原泉」「長流」「大江」「四海」抄　B6判　箱　324頁　定価2600円　立風書房　1980年10月
日本近代文学大系56　近代俳句集　「井泉句集一・二」「皆懺悔」「梵行品」「無所住」抄　菊判　箱　506頁　定価2000円　昭和49年5月

●俳論・俳句入門書

俳句提唱　四六判　箱　333頁　定価1円　層雲社　大正6年10月

新しき俳句の作り方　四六判　箱　332頁　定価1円80銭　日本評論社出版部　大正10年8月（大正11年2月　四刷）

俳句に入る道　四六半裁　カバー　218頁　定価1円　金星堂　大正13年11月

新俳句研究　四六判　箱　356頁　定価1円80銭　春秋社　大正15年4月（同5月三刷）

俳句に入る道　四六小　カバー　218頁　定価70銭　金星堂　昭和7年12月

俳句に入る道　新潮文庫二百一篇　232頁　定価40銭　新潮社　昭和11年10月

俳句の作り方と味ひ方　四六判　箱　カバー　定価1円50銭　実業之日本社　昭和3年10月（昭和13年7月　十六刷）

俳話集この一筋を行く　井泉俳話4　四六判　箱　326頁　定価1円60銭　春秋社　昭和4年12月

『俳話集』は第一『昇る日を待つ間』（大正6・『俳句提唱』改題）、第二『我が小さき泉より』（大正13）、第三『道あり言葉あり』（大正15）

俳壇傾向論　春秋文庫38　新書判　カバー　186頁　定価50銭　春秋社　昭和5年9月

新俳句座談　四六判　箱　356頁　定価1円60銭　春秋社　昭和6年4月

俳句の道▼　四六判　箱　324頁　定価1円50銭　立命館出版部　昭和7年3月

自由律俳句評釈　四六判　箱　285頁　定価1円30銭　非凡閣　昭和10年4月

俳談　四六判　カバー　421頁　定価1円60銭　千倉書房　昭和10年7月

俳句教程　四六判　464頁　定価1円50銭　千倉書房　昭和11年3月
新俳句鑑賞　四六判　箱　323頁　定価1円50銭　春秋社　昭和11年7月
俳句する心　四六判　箱　308頁　定価1円80銭　子文書房　昭和16年5月
新俳句入門　四六判　箱　340頁　定価1円80銭　実業之日本社　昭和15年7月
昭和24年再版、昭和54年10月三版（B6判、274頁、カバー、定価1200円）
短詩入門　橋本健三共著　B6判　カバー　217頁　定価680円　潮文社　昭和48年2月

●芭蕉・一茶・子規関係

芭蕉の言葉　四六判　箱　214頁　定価1円50銭　聚英閣　大正10年6月
一茶遺稿父の終焉日記（序・校閲）束松露香校訂　四六判　72頁　定価80銭　岩波書店　大正11年1月
旅人芭蕉　四六判　箱　293頁　定価1円60銭　春秋社　大正12年7月（大正14年2月震災後九版）
芭蕉の自然観　早稲田大学パンフレット　四六判　117頁　定価50銭　春秋社　大正13年4月
初懐紙評註　付続芭蕉連句選釈　（編）芭蕉文庫第八編　菊半裁判　箱　93頁　定価85銭　春陽堂　大正13年8月
芭蕉文庫は、第八編巻末の広告によれば、一『奥の細道新釈』、二『芭蕉句選略解（春夏）』、三『野ざらし紀行評釈』、四『芭蕉句選略解（秋冬）』、五『芭蕉文集』、六『芭蕉書簡集』、七『芭蕉行状記』、八『猿蓑集』（題名が違う）、九『続の原』、十『去来抄』、十一『笈日記』、十二『花屋日記』（花屋日

記は偽書説が定着しているが、井泉水はどう解説しているか）
続旅人芭蕉　四六判　箱　262頁　定価1円80銭　春秋社　大正14年12月
七番日記抄　下　一茶文庫第五編　（編）菊半裁判　箱　100頁　定価85銭　春陽堂　大正15年7月
一茶文庫は、第一編『一茶発句集』、第二編『おらが春』、第三編『看病手記』、第四遍『七番日記抄　上』、第六編『一茶文集』
芭蕉と一茶　四六判　箱　280頁　定価1円60銭　春秋社　大正14年7月
一茶遺稿九番日記（校訂）湯本五郎治編　四六判　箱　387頁　定価2円30銭　春秋社　大正15年7月
一茶遺稿株番其他（校訂）湯本五郎治編　四六判　箱　353頁　定価2円30銭　春秋社　大正15年11月
一茶句集志だら（校訂）四六判　110頁　定価90銭　岩波書店　昭和2年5月
おらが春・我春集　一茶作　（校訂）岩波文庫74　120頁　定価20銭　岩波書店　昭和2年7月（昭和14年12月第十七刷）
奥の細道評論　付・奥の細道賛記　四六判　箱　400頁　定価2円20銭　岩波書店　昭和3年4月（昭和4年6月　二刷）
芭蕉風景▼　四六判　376頁　箱　春秋社　昭和5年11月（昭和13年5月刊・新潮文庫二九一篇　307頁、45銭）
一茶七番日記　上下（校訂）改造文庫第二部七十八・七十九篇　382頁　404頁　各定価40銭　改造社　昭和6年3、4月
俳人読本　上下（編）四六判　箱　368・399頁　各定価1円80銭　春秋社　昭和6年12月・昭和7年6月（近世俳人の俳句俳文を一年間月日の順に編集）

芭蕉さま　四六判　228頁　カバー　定価1円50銭　実業之日本社　昭和8年5月（昭和16年4月　十三刷　改装版）（昭和21年10月初版は、同じ装画だが、並製カバー無　定価12円）
芭蕉入門　四六判　箱　262頁　定価2円　春陽堂　昭和6年7月
奥の細道通説　春秋文庫第二部9　新書判　273頁　定価1円　春秋社　昭和8年5月
一茶雑記　四六判　箱　246頁　定価1円60銭　大畑書店　昭和9年3月
放送芭蕉を語る　四六判　361頁　定価1円50銭　実業之日本社　昭和9年12月
芭蕉・蕪村・子規　四六判　箱　395頁　定価1円60銭　千倉書房　昭和9年12月
奥の細道古註（編）菊判　箱　201頁　定価2円　岩波書店　昭和11年2月
一茶真蹟集▼　346頁　巧芸社　昭和12（1979年象山社覆刻）
芭蕉を尋ねて　新潮文庫二三六編　305頁　定価50銭　新潮社　昭和12年5月（昭和14年12月、20刷）
放送講話奥の細道の心　四六判　箱　278頁　定価1円40銭　新潮社　昭和13年3月
一茶研究　新潮文庫三〇三編　208頁　定価55銭　新潮社　昭和13年6月（昭和14年7月、18刷）
一茶春秋　B6判　カバー　306頁　定価1円50銭　育英書院　昭和13年5月（昭和17年9月第3版）
芭蕉読本　菊判　箱　324頁　定価1円80銭　日本評論社　昭和13年8月（昭和17年8月第4版はカバー装）
一茶を尋ねて　四六判　箱　284頁　定価2円　育英書院　昭和13年12月
一茶読本　菊判　箱　340頁　定価2円　日本評論社　昭和15年1月
芭蕉の心　B6判　箱　252頁　定価2円　育英書院　昭和16年8月（昭和17年7月、3版）

芭蕉随想あしたに夕べに　B6桝　324頁　定価2円50銭　偕成社　昭和18年8月
奥の細道ノート　新潮文庫　新潮社　昭和21年9月（昭和45年1月14刷　295頁・昭和53年4月28刷　定価180円）
芭蕉随筆春は曙　B6判　163頁　定価50円　臼井書房　昭和23年3月
定本一茶全集　第一巻　おらが春その他（編）B6判　箱　269頁　定価330円　羽田書店　昭和24年4月
定本一茶全集　第三巻▼　七番日記（上）B6判　羽田書店　昭和25年
　全六巻の第二、第四、第五、第六巻は未刊か。
民衆芸術の父正岡子規　偉人物語文庫　四六判　カバー　322頁　定価170円　偕成社　昭和28年11月
芭蕉随筆　第一巻　旅人芭蕉　新書判　箱　189頁　定価160円　春秋社　1955年7月
芭蕉随筆　第四巻　芭蕉巡礼　新書判　箱　225頁　定価180円　春秋社　1955年11月
第二巻『続旅人芭蕉』、第三巻『芭蕉を尋ねて』、第五巻『芭蕉風景』、第六巻『芭蕉春秋』、第七巻『奥の細道の道』、第八巻『奥の細道の心』『おらが春雑記』、第九巻『七番日記随談』
奥の細道ノート▼　一時間文庫　新書判　新潮社　昭和30年
芭蕉名句　現代教養文庫148　カバー　171頁　社会思想社　昭和32年1月（昭和40年3月、20刷）
随筆一茶　全六巻　新書判　箱　定価160〜180円　春秋社
　第一巻　俳人一茶　184頁　1957年10月
第四巻　一茶と共に　182頁　1956年9月

第五巻　おらが春新釈　162頁　1956年12月
他に、第二巻「一茶を尋ねて」、第三巻「一茶春秋」、第六巻「六番日記随談」
創作おらが春▼　B6判　箱　253頁　定価330円　新潮社　昭和35年4月
奥の細道風景　現代教養文庫336　199頁　定価180円　社会思想社　昭和36年8月（昭和37年3月4刷）
小説芭蕉日記　B6判　箱　562頁　定価800円　朝日新聞社　昭和39年10月
画幅芭蕉春秋▼　箱帙　豊書房　昭和45年
芭蕉鑑賞　B6判　カバー　258頁　定価680円　潮文社　昭和47年10月
旅人芭蕉抄▼　箱　豊書房　昭和47年10月
私の奥の細道▼　龍村堂　昭和50年
芭蕉の心▼　箱　264頁　金沢文庫　1994年

●尾崎放哉・種田山頭火関係

放哉俳句集　大空（編）尾崎放哉著　定価1円60銭　264頁　春秋社　大正15年6月
放哉書簡集（編）尾崎放哉著　四六判　301頁　定価1円60銭　春秋社　昭和2年10月
俳句集大空（編）尾崎放哉著　新書判大　228頁　定価1円　春秋社　昭和8年1月
尾崎放哉集　大空（編）B6判　221頁　定価280円　春秋社　昭和31年2月
尾崎放哉集　大空（編）尾崎放哉著　B6判　箱　222頁　定価650円　春秋社　昭和47年2月
尾崎放哉全集（監修）B6判　箱　772頁　定価2800円　弥生書房　昭和47年6月

山頭火を語る（伊藤完吾共編）Ｂ6判　カバー　225頁　定価680円　潮文社　昭和47年8月
畸人常人　Ｂ6判　カバー　383頁　定価1500円　大法輪閣　昭和51年10月
216頁まで「放哉という男」
新装尾崎放哉集　大空（編）Ｂ6判　カバー　松永伍一解説　252頁　定価1200円　春秋社　昭和56年6月
定本山頭火全集（斎藤清衛共監修・大山澄太・高藤武馬編）全7巻　Ｂ6判　箱　各定価2200円　春陽堂　昭和47年4月～48年8月

●随筆集その他

ゲーテ言行録▼　箱　366頁　定価1円　政教社　明治43年7月
ゲーテの言葉▼　328頁　定価1円80銭　春秋社　大正11年9月
昇る日を待つ間▼　四六判　333頁　定価1円90銭　聚英閣　大正12年12月
俳句講話古人を説く・付夏目漱石の俳句に就て、尾崎紅葉の俳句に就て　四六判　箱　208＋43頁　聚英閣　大正13年2月
我が小き泉より　四六判　271頁　定価1円70銭　交蘭社　大正13年11月
大地に歎く　四六判小　箱　280頁　定価1円80銭　新作社　大正13年11月
淋しき儘に――一僧院に於る感想　四六判　箱　257頁　定価1円70銭　聚英閣　大正14年10月（国会図書館本は、奥付を張り紙で12月に修正）

古人を説く　四六判　263＋43頁　大正13年聚英閣版の増補　定価1円80銭　春陽堂　昭和4年1月
観音巡礼▼　四六判　箱　283頁　定価1円80銭　春陽堂　昭和4年1月
旅のまた旅　四六判　箱　353頁　定価2円20銭　春陽堂　昭和4年9月
京洛小品　四六判　箱　310頁　定価1円80銭　創元社　昭和4年10月
この一筋を行く　井泉俳話四　箱　326頁　定価1円60銭　春秋社　昭和4年12月
『井泉俳話』は、第一巻昇る日を待つ間（層雲社・大正6年『俳句提唱』改題）、第二巻我が小き泉より
（層雲社・大正13・前項交蘭社とは別版）、第三巻道あり言葉あり（春秋社・大正15）
旅の茶話▼　新書判大　348頁　箱　定価1円80銭　創元社　昭和5年5月
日日の生活と芸術▼（神・文）（述）自治資料第8輯　保土ヶ谷自然懇話会　昭和5年6月
山川行住　四六判　箱　381頁　定価1円80銭　創元社　昭和5年11月
俳句の道▼　立命館大学出版部　昭和7年3月　教養文庫・社会思想研究会刊　昭和28年
或日の微笑　四六判　箱　336頁　定価1円60銭　四條書房　昭和8年7月
旅の話句の話▼　四六判　箱　304頁　四條書房　昭和8年10月
遍路と巡礼▼　四六判　500頁　定価90銭　創元社　昭和9年3月
青天の書　四六判　箱　300頁　定価1円70銭　文体社　昭和9年4月
　特革製80部署名入本あり
春秋草紙　四六判　箱　370頁　定価2円　岩波書店　昭和9年11月
火中の書　四六判　箱　294頁　定価2円　岡倉書房　昭和10年6月

花鳥小品　四六判　箱　300頁　定価1円80銭　三笠書房　昭和10年6月
雲の如く行く　四六判　箱　328頁　定価1円80銭　清水書店　昭和10年9月
身辺の書　四六判　294頁　定価1円60銭　文体社　昭和11年9月
身辺の書　四六判　箱　292頁　定価2円　黎明調社　昭和17年7月
白馬に乗る　四六判　箱　343頁　定価2円　人文書院　昭和11年9月
遊歩道▼　むらさき学芸叢書第二　箱　むらさき出版部　昭和12年11月
旅窓読本　菊半裁判、372頁　定価1円　學藝社　昭和12年6月
俳句の手▼　四六判　356頁　定価1円50銭　実業之日本社　昭和12年6月
アメリカ通信　四六判　278頁　定価1円50銭　第一書房　昭和13年9月
知命の書▼　四六判　箱　276頁　砂子屋書房　昭和13年10月
自句自解自像素描　四六判　205頁　定価1円30銭　第一書房　昭和14年5月
道▼　四六判　カバー　86頁　定価50銭　中外出版　昭和15年8月
遍路日記　四六判　箱　296頁　定価2円50銭　婦女界社　昭和16年9月
東西南北　菊判　箱　238頁　定価3年80銭　櫻井書店　昭和17年4月
随筆春夏秋冬　B6判　箱　305頁　定価2円50銭　桑名文星堂　昭和17年9月
随處の書▼　四六判　カバー　298頁　天佑書房　昭和17年11月
井泉水随談　四六判　カバー　381頁　定価2円30銭　実業之日本社　昭和18年2月
古人を尋ねて　B6判　カバー　251頁　定価2円80銭　偕成社　昭和18年3月

青年と俳句　青年文化全集第16回　B6判　275頁　定価2円　潮文閣　昭和18年10月
京洛春秋　B6判　184頁　定価15円　臼井書房　昭和21年9月
私の綴り方　B6判小　280頁　定価2円40銭　光文社　昭和21年5月
秋晴　B6判　138頁　定価18円50銭　富国出版社　昭和22年3月
ごまみそばなし▼　B6判　236頁　定価70円　科野雑誌社　昭和23年4月
鮎　B6判　130頁　定価100円　目黒書店　昭和24年8月
死面の蘇生　B6判　250頁　定価130円　詩と音楽社　昭和24年11月
日日好日▼　カバー　229頁　定価240円　日本出版共同　昭和29年3月
のっぺい汁　カバー　253頁　定価230円　池田書店　昭和30年4月
流水の書　B6判　カバー　158頁　定価230円　池田書店　昭和30年9月
けんちん汁▼　250頁　新世書房　昭和31
層雲の道　大正昭和の人々　層雲叢書第一　38頁　昭和30年10月
俳句読本　春・夏・秋の巻▼　B6判　178〜181頁　池田書店　昭和31年
日本歳時紀行　B6判　箱　264頁　定価350円　修道社　昭和35年4月
人生は長し　B6判　カバー　253頁　定価300円　実業之日本社　昭和36年6月
人生は楽し▼　238頁　実業之日本社　昭和37年
人生読本▼　B6判　245頁　定価300円　実業之日本社　昭和37年
七十一番日記　随筆第一▼　A5判　箱　246頁　定価1000円　大泉園　昭和39年

米寿記念松に因みて▼　B5判　大泉園　昭和46年

自然・自己・自由――新短詩提唱　菊判　箱　327頁　限定500部　定価6000円　勁草書房　昭和47年12月（並製版あり）

詩と人生▼　219頁　潮文社　1972年

井泉水草画集▼　A4判　129頁　限定200部　日貿出版　昭和48（昭和63年覆刻）

井泉水短冊集▼　箱　限定200部　五月書房　昭和50年

人間好時節▼　B6判　筒箱　224頁　定価1800円　古川書房　昭和52年

此の道六十年　A5判　箱　275頁　定価2500円　春陽堂　昭和53年5月

随翁の随想▼荻原井泉水遺稿　箱　古川書房　昭和56年

益軒養生訓新説▼　箱　大法輪閣　1994年

一茶随想▼　講談社学芸文庫　平成12年

井泉水日記　青春篇　上下▼　A5判　箱　筑摩書房　2003年

あとがき

近代俳句史をたどる上で、新興俳句系の資料は数が多いこともあるのか、多くの資料が現在も残っており古書市場にも出て来る。その資料を基に前著『戦争俳句と俳人たち』も書くことが出来た。一方で、自由律俳句の資料は殆ど姿を見せず、ましてや、『層雲』とか『海紅』の自由律俳句誌が数年分まとまって古書市場に出て来ることは期待できそうもなかった。

新興俳句系雑誌も、個々バラバラに出て来るだけで、まとまって数年分が、しかも個人で買えるような低額で出てきてくれるわけではない。ところが、珍事が起きた。東京のある古書店の主人が高齢の為、長年蒐集してきた倉庫に眠る膨大な古書群を古書市場に放出し始めたのである。その中に『ホトトギス』『雲母』『馬酔木』『天の川』『石楠』『鹿火屋』『寒雷』など戦前戦中の主要俳句結社誌、俳句総合誌『俳句研究』の塊りが含まれていた。この夢のような事態が起こらなければ、前記拙著も完成出来なかった。その他に『海紅』数年分と、三重県で出されていた新傾向俳句誌『碧雲』の十年分くらいがあって、幸いにも入手することが出来た。ほかにも地方の聞いたこともない俳句雑誌も数多くあった。その中には後になって重要性に気付くものもままあった。ある資料と別の資料がリンクしたときにその資料だけでは気付かない新たに見えてくるものがある。第二章で取り上げた『碧雲』などはその典型である。

また、雑誌『層雲』は入手困難なのに、主宰荻原井泉水の著書は古書市場にも数多く流通しており比較的安価である。もっとも集めはじめると余りの著作の多さと複雑さに面食らうことになるのだが、それでも全体の六、七割は集められたろう。

加えて、以前、中世和歌の研究者で、加藤楸邨門下の俳人でもあった故井上宗雄先生旧蔵の戦後改革期の『俳句人』などの俳句雑誌群を偶然入手しており、自由律俳人たちのことも少しは書ける資料が集まった。そこで同人誌『鬣』に二〇一二年から「自由律俳句について」を連載し始めたのである。しかし12回で壁にぶつかった。そこで視点を近代の詩人たちの中で俳句が如何に詠まれたかに変えて、俳句における定型の意味を探ることにした。これも14回の連載となった。

今回の一章と三章は、同人誌『鬣』に連載したものに修正を加えたもので、第二章の全部と、三章の千家元麿についてが今回新たに書いたものである。二年ほど前から一冊にまとめようと試みてきたが、かつて連載したものに加筆することは、それぞれのテーマに没頭していた時点まで戻らねば出来ないことを痛感して一向に進まなかった。しかし、今回の新型コロナウイルス騒動で外出自粛を迫られ、短期間に第二章を書くことが出来た。第二章が出来たことで、旧稿の整理にも弾みがついたのである。以前何気なく求めてあった耕治人の『小説詩人蘿月』と、これもいつか装丁に惹かれて求めた内田南艸句集『光と影』が、また購入してあった俳句雑誌の山の中に蘿月が唯一主宰した雑誌『冬木』があることに気付き、それらが結びついて行くのは、資料探求の醍醐味である。そういう事が沢山、今回も起こった。

私は四十年間を古書業界の世界で生きて来た。『日本古書通信』という雑誌の編集が仕事で、厳密な意味では古本屋とは言い切れないが、業者の古書市には参加でき、かつ神保町古書店街がそばにあるという、資料を入手する機会に恵まれている。偶然にも私の元に来てくれた俳句史資料を活かすことは使命と考えている。古書業者として販売して研究者の手に委ねるという道もあるが、研究者の目的によってそれぞれが分散してしまうことになる。古書はやがて一人の収蔵者からまた別の人へ流転していく。取りあえず非力は承知の上で、全体的な概観を示しておく意味もあるだろう。やがて私の蒐集した資料も誰かの役に立つ時がくる。専門的な研究はそれからでも遅くない。

物事を見る目は多角的複合的であるべきことを、私は編集の仕事を通して痛感してきた。民族民衆の芸術である俳句を生彩あるものにしようと、大きな壁にぶつかっていった自由律俳人たちのことを少しでも本書を通して知っていただけたら本望である。実のところ私の俳句解釈は深いものではない。その点はよく自覚しているので、あくまでも資料の紹介に重点を置いて書いたつもりである。

前著『戦争俳句と俳人たち』は、尊敬する編集者中嶋廣さんのトランスビューから刊行させて貰い、予想を遥かに超えて主要全国紙の書評欄で取り上げて頂けた。今回も出来るなら同社から刊行したかったが、中嶋さんは既に現役を去られている。そこで、笠間書院から独立して文学通信を立ち上げた岡田圭介さんにお願いすることにした。出版の本道を希求する熱血の編集者である。御願いすると快諾してくれ嬉しかった。また編集・組版を担当してくれた若き編集者渡辺哲史さんの仕事振りに接し頼もしさを感じた。加えて中嶋さんもゲラを読んで下さることになった。

本や資料、そして人も結局は繋がりが大切である。同人誌『鬣』がなければ本書は書けなかった。林桂、水野真由美、論考を数多く引用させてもらった九里順子ほかの同人たち、また貴重な俳句資料を所蔵する神奈川近代文学館には格別のお世話になった。深く感謝している。

二〇二〇年一二月一二日

樽見　博

著 者 樽見 博（たるみ・ひろし）

昭和 29 年、茨城県生まれ。法政大学法学部政治学科卒業。昭和 54 年 1 月、日本古書通信社に入社、故八木福次郎の下で雑誌「日本古書通信」の編集に携わる。平成 20 年 4 月より編集長。著書に『古本ずき』（私家版）、『古本通』『三度のメシより古本！』『古本愛』（以上、平凡社）、『戦争俳句と俳人たち』（トランスビュー）がある。俳句同人誌『鬣（たてがみ）』同人。

自由律俳句と詩人の俳句

2021（令和 3）年 3 月 1 日　第 1 版第 1 刷発行

ISBN978-4-909658-50-0　C0095　

発行所　株式会社 **文学通信**

〒 170-0002　東京都豊島区巣鴨 1-35-6-201

電話 03-5939-9027　Fax 03-5939-9094

メール info@bungaku-report.com ウェブ http://bungaku-report.com

ご意見・ご感想はこちらからも送れます。上記のQRコードを読み取ってください。

発行人　岡田圭介

印刷・製本　モリモト印刷